STUDIEN
ZUR GERMANISTIK, ANGLISTIK UND KOMPARATISTIK
HERAUSGEGEBEN VON ARMIN ARNOLD
BAND 8

ALFRED DÖBLIN

DAS BILD DES MENSCHEN IN SEINEN ROMANEN

VON WOLFGANG KORT

1970

H. BOUVIER u. CO. VERLAG · BONN

ISBN 3 416 00692 5

Dem Andenken meines Vaters,

meiner Mutter

Der Verfasser dankt Herrn Professor Dr. Armin Arnold, Chairman, McGill University Montreal, Department of German, für zahlreiche wertvolle Ratschläge und Hinweise bei der Bearbeitung des Themas und für die Durchsicht der Arbeit.

Den Bibliotheken der McGill University und der Catholic University of America, besonders den „Interlibrary Loan"-Abteilungen, danke ich für die Hilfe bei der Beschaffung notwendiger Bücher und Zeitschriften. Dem Literaturarchiv im Schiller-Nationalmuseum in Marbach am Neckar danke ich für die Einsicht in den dort befindlichen Teil des Döblinschen Nachlasses.

Washington, im Januar 1970   Der Verfasser

INHALT

I. EINLEITUNG

DIE VIELGESTALTIGKEIT DES WERKES UND DIE EINHEIT DER THEMATIK

Fast alle Arbeiten über Döblin heben die Vielschichtigkeit und Widersprüchlichkeit seines Werkes hervor. Fritz Martini nennt ihn einen „vielschichtigen Autor, dessen eigene komplizierte Differenziertheit sich mit sehr mannigfaltigen und komplexen Erscheinungen, Konflikten und Problemstellungen seiner Zeit verband, auf sie reagierte in ‚Resonanz‘ und Kommunikation mit allem, zugleich eine eigenwillige und weltumfassende Individualität"[1]. Die Vielfältigkeit der Stoffe und Motive, die Verschiedenheit der Erzählweise – man denke nur an zwei so verschiedene, und doch zeitlich so nahe Romane wie *Berlin Alexanderplatz* (1929) und *Pardon wird nicht gegeben* (1935) – scheinen Martinis Feststellung zu bestätigen. Offenbar entzieht sich Döblin „summierenden Formeln"[2].

Auch die Thematik scheint – oberflächlich betrachtet – äußerst komplex und widersprüchlich zu sein. Pubertätsprobleme beherrschen den Roman *Der schwarze Vorhang*, soziale Themen drängen sich in *Die drei Sprünge des Wang-lun* und in *Pardon wird nicht gegeben* vor, die Frage nach dem Sinn der Geschichte dominiert in den Romanen *Wallenstein* und *Amazonas*. Daneben steht die Opferidee von *Berlin Alexanderplatz* und die Frage nach der Wahrheit der menschlichen Existenz in *Hamlet oder die lange Nacht nimmt ein Ende*. Der Roman *Berge Meere und Giganten* entwirft ein Bild von den Gefahren eines ungehemmten technischen Fortschritts, *November 1918* fragt nach dem Verhältnis von Christentum und Revolution, und andere Romane wie *Wadzeks Kampf mit der Dampfturbine* oder *Babylonische Wandrung* scheinen sich jedem Versuch einer Einordnung zu entziehen. Zu diesen umfangreichen Romanen gesellen sich aber auch noch das Epos *Manas*, die zahlreichen Erzählungen, einige Schauspiele und nicht zuletzt die philosophischen Schriften. Allein verbergen sich nicht doch hinter der äußeren Vielgestaltigkeit und der verwirrenden Themenfülle eine Einheitlichkeit der Grundkonzeption oder, um Döblins eigene Terminologie

---

[1] Fritz Martini, „Alfred Döblin", In: *Deutsche Dichter der Moderne*, ed. Benno von Wiese (Berlin, 1965), S. 321.
[2] Ebd.

zu verwenden, einige wenige „Elementarhaltungen des Menschen"[3], führt nicht alles „zu den einfachen großen elementaren Grundsituationen und Figuren des menschlichen Daseins"[4] zurück?

In diesem Sinne versucht die vorliegende Arbeit, die thematische Einheit des Werkes festzuhalten. Sie untersucht das Bild des Menschen im „epischen Werk" Alfred Döblins. Da Döblin eine Neubelebung des „Epischen" anstrebte und die Formen des traditionellen Romans verwarf, sind hierunter die Romane und das Epos *Manas* zu verstehen. Miteinbezogen in die Untersuchung werden auch die Philosophischen Abhandlungen Döblins, vor allem *Das Ich über der Natur* (1927). Weitgehend unberücksichtigt dagegen bleiben die Erzählungen und Dramen, da sie zu diesem Thema nur wenig beitragen können.

Diese Arbeit will den Nachweis führen, daß sich hinter der scheinbaren Vielfalt der Themen eine einzige Frage verbirgt: die nach dem Menschen und seinen Möglichkeiten. Einerseits sieht Döblin in dem Menschen das geistbestimmte Individuum, aufgerufen, diese Welt geistig und sittlich zu durchdringen, zu ordnen und zu lenken; andrerseits scheitert der Mensch nur allzu häufig auf tragische Weise bei der Durchführung dieser Aufgaben, was auf seine Bestimmung ein ironisches Licht wirft. Für Döblin als Arzt lag im Zuge einer biologischen Betrachtungsweise die Einsicht nicht fern, daß der Mensch nur ein „technisch-industrielles Kollektivwesen"[5] ist, das in seiner ameisenhaften Existenz jede Bedeutung als Individuum verloren zu haben scheint. Döblin neigt bald der einen, bald der anderen Auffassung zu; beide Ansichten bleiben jedoch dialektisch auf einander bezogen. Er sah durchaus die Notwendigkeit einer Synthese, wie er sie philosophisch in der Konstruktion eines überindividuellen Ichs in *Das Ich über der Natur* versuchte. Diese dialektische Auffassung des Menschen, verbunden mit der Suche nach einer Synthese, durchzieht Döblins ganzes Werk. Für den Interpreten besteht also – paradox ausgedrückt – die thematische Einheit in der konstanten Widersprüchlichkeit der menschlichen Situation. Seine Aufgabe ist es diese Grundthematik mit den verschiedenen Aspekten, die sie einschließt, in den einzelnen Werken aufzuspüren.

Der Unterschied zwischen der Problemstellung dieser Arbeit und der

---

[3] Alfred Döblin, „Der Bau des epischen Werks", In: *Aufsätze zur Literatur* (Olten/Freiburg i. Br., 1963), S. 106.
[4] Ebd. S. 132.
[5] Alfred Döblin, „Der Geist des naturalistischen Zeitalters", In: *Aufsätze zur Literatur*, S. 71.

Dissertation von Winifred Jeanette Ferris[6] wird somit deutlich. Jeanette Ferris untersucht das Verhältnis des Menschen zur Natur, zur Gesellschaft und zu Gott und nimmt dabei ebenfalls das begriffliche Instrumentarium aus *Das Ich über der Natur* zu Hilfe. Aber sie trennt die verschiedenen Aspekte dieses Ichs, um so zu einer Gliederung des Döblinschen Œuvres zu kommen, wobei bald das eine, bald das andere Ich des Menschen dominieren soll. Indem sie so die einzelnen Ichs gegeneinander ausspielt, wird jedoch die Einheit des Gesamt-Ichs, an der Döblin immer festhielt, aufgehoben. So kommt sie notwendigerweise zu falschen Ergebnissen, zum Beispiel wenn sie behauptet, daß in den ersten beiden Teilen des Döblinschen Werkes der Mensch sich zwar der Natur überlegen gezeigt habe, aber den sozialen Kräften unterliege.[7] Wir werden jedoch sehen, daß Natur, Geschichte und Gesellschaft nur verschiedene Seiten des Lebenszusammenhangs sind, dem sich der ganze Mensch immer ein- und unterzuordnen hat. Während Jeanette Ferris also die verschiedenen Aspekte des Ichs in ihren Beziehungen zur Natur, zur Gesellschaft und zu Gott erörtert, untersuchen wir die dialektische Stellung des Menschen gegenüber den Kräften des Lebens und der Natur.

Die Thematik Döblins, so wie sie oben skizziert wurde, ist nicht ablösbar von seinen sozialen Anschauungen und von seiner Darstellungsweise. Auf beides muß daher einleitend kurz eingegangen werden.

Seine Haltung zeichnet sich durch eine erbitterte Gegnerschaft gegen die bürgerliche Kunst aus, die er mit den Futuristen teilt. Die Kritik richtet sich vor allem gegen den traditionellen realistisch-psychologischen Roman. Döblin wendet sich – auch das unter dem Einfluß Marinettis – gegen die „psychologische Manier"[8], gegen die „abstrakte Strenge"[9], gegen die dramatische Spannung, die den Roman ruiniere. Viele Romanschriftsteller seien deshalb „verkappte Dramatiker"[10]. Demgegenüber strebt er eine Renaissance der epischen Dichtung an. Homer, Dante und Cervantes sind ihm die wichtigsten Vorbilder. Er will die epische Form „zu einer ganz freien"[11] machen. Daraus ergibt sich, daß in einem solchen Werk alle künstlerischen Mittel erlaubt sind, und es ist daher nicht verwunderlich, daß sich Döblin

---

[6] Winifred Jeanette Ferris, *Alfred Döblin's Concept of Man*, Diss. (Stanford University, 1952).
[7] Ebd. S. 210.
[8] Alfred Döblin, „An Romanautoren und ihre Kritiker, Berliner Programm", In: *Aufsätze zur Literatur*, S. 16.
[9] Alfred Döblin, „Bemerkungen zum Roman", ebd. S. 19.
[10] Ebd.
[11] „Der Bau des epischen Werks", S. 115.

häufig in Widersprüche verwickelt, da er vieles verbietet, was·er an anderer Stelle wieder gestattet. Gegenüber dem kritisierten Roman soll dieses epische Werk „entschlossen lyrisch, dramatisch, ja reflexiv"[12] sein. Es soll – anders als der Roman, der auf einer spannungsträchtigen Handlung basiert – „durch Anlagerung", durch „die epische Apposition"[13] entstehen. Folgerichtig muß ein solches Werk unbegrenzt sein. Epische und musikalische Kompositionsweise berühren sich eng. Auf den „Modellcharakter" der Musik für die Literatur hat Döblin öfter hingewiesen;[14] das epische Werk ähnelt in seiner Struktur „symphonischen Werken"[15]. Dieses Prinzip der epischen Apposition hat Döblin fast immer angewendet, und er ist der Gefahr, die in diesem Kompositionsprinzip liegt, in seinen späteren Romanen nicht immer entgangen. Denn hier verselbständigen sich diese Appositionen so, daß sie die Haupthandlung überwuchern. Andrerseits darf nicht übersehen werden, daß Döblin hierdurch versucht, die Welt in ihrer Totalität zu erfassen. Eine einsträngige Handlung isoliert den Vorgang und ist deshalb unwahr. Döblin kam es darauf an, die Verflochtenheit des Ichs mit der Welt darzustellen, nicht ein isoliertes privates Schicksal. Für ihn war die beherrschende Stellung des Individuums fragwürdig geworden. Daraus zog er für seine Darstellungsweise den Schluß, daß auch im Roman nicht mehr nur ein einzelner im Mittelpunkt stehen dürfe. Die neue Form des Romans ist so die Konsequenz eines neuen Menschenbildes, was Döblin in einem Aufsatz über den *Ulysses* auch unmißverständlich ausspricht:

Man muß wissen, daß Kunstformen zusammenhängen mit einer gewissen Denkweise und einem allgemeinen Lebensmilieu. Darum werden Formen dauernd überholt. Die alten Romane unterhalten uns, sie beschäftigen unseren Kombinationssinn, sie sind der Niederschlag eines solchen Kombinationssinnes. Sie sind im übrigen verlängerte Novellen, und die Novellen verlängerte Anekdoten und Aphorismen. Diese Romane sind mehr oder weniger aphoristisch. Inzwischen — sagen wir seit den Wahlverwandtschaften — hat sich allerlei ereignet, was gegen solche Aphoristik, Isolierung eines Ablaufs ist, aber weder den Autoren noch ihrem Publikum genügend aufgefallen ist. In den Rayon der Literatur ist das Kino eingedrungen, die Zeitungen sind groß geworden, sind das wichtigste, verbreitetste Schrifterzeugnis, sind das tägliche Brot aller Menschen. Zum Erlebnisbild der heutigen Menschen gehören ferner die Straßen, die

---

[12] Ebd. S. 113 u. 114.
[13] Alfred Döblin, „Schriftstellerei und Dichtung", In: *Aufsätze zur Literatur*, S. 96.
[14] Alfred Döblin, „Nutzen der Musik für die Literatur", In: *Die Zeitlupe* (Olten/Freiburg i. Br., 1962), S. 160.
[15] „Der Bau des epischen Werks", S. 127.

sekündlich wechselnden Szenen auf der Straße, die Firmenschilder, der Wagen-verkehr. Das Heroische, überhaupt die Wichtigkeit des Isolierten und der Einzelperson ist stark zurückgetreten, überschattet von den Faktoren des Staates, der Parteien, der ökonomischen Gebilde.[16]

Auch in seinem ersten größeren philosophischen Versuch, der Abhand-lung *Das Ich über der Natur*, wendet sich Döblin gegen die Isolierung des Ichs. Da der Mensch dauernd mit der Natur und der Gesellschaft durch „Angleichung" und „Polarität" kommuniziert, „ist die Isolation des Einzel-wesens schon grob und roh körperlich nicht in solcher Strenge aufrechtzu-erhalten"[17]. Im allgemeinen bleiben die Digressionen, die Döblin mit diesen Gründen zu rechtfertigen versucht, entweder stofflich oder thematisch mit dem Hauptstrang der Handlung verbunden; meistens spiegeln sie die Haupthandlung thematisch. Dieter Baacke, der ausdrücklich darauf hin-weist, daß Döblin den Leser die Lehre „in der gleichsam picaresken Häu-fung und Spiegelung des Erzählten" finden läßt, hat diese Verflechtung am Beispiel der in die Romane eingestreuten mythologischen Vergleiche überzeugend dargestellt.[18] Da Döblin oft darauf verzichtet, eine Beziehung herzustellen, ist die mitschaffende Phantasie des Lesers unbedingte Voraus-setzung. Dem Interpreten sellt sich die Aufgabe, diese Beziehungen bloßzu-legen. Da nach Döblins Theorie, die er in einigen Romanen, besonders in *Berlin Alexanderplatz* und *Babylonische Wandrung* konsequent verwirk-licht hat, das Wesen der epischen Dichtung darin besteht, mit genau gesehe-nen Realitätselementen zu spielen, finden sich diese thematisch parallelen Anlagerungen auf verschiedenen Ebenen, da er den Begriff „Wirklichkeit" sehr stark erweitert.

Döblin war ein überzeugter Anhänger des Sozialismus, auch wenn er sich mit den beiden zu seiner Zeit bestehenden sozialistischen Parteien über-warf.[19] Er hat sich, nach eigenem Bekenntnis, immer zu den Armen gerech-net.[20] Nicht zuletzt aus diesen politischen und sozialen Überzeugungen resultiert eine besondere Einstellung zur Funktion der Literatur und zu for-malen Mitteln. Einerseits darf die Literatur, wenn sie wieder glaubhaft werden soll, nicht nur die Probleme der Bourgeoisie darstellen, sondern muß in höherem Maße die des Proletariats einbeziehen; die Masse muß

[16] Alfred Döblin, „Ulysses von Joyce", In: *Die Zeitlupe*, S. 149–150.
[17] Alfred Döblin, *Das Ich über der Natur* (Berlin, 1927), S. 87.
[18] Dieter Baacke, „Erzähltes Engagement, Antike Mythologie in Döblins Romanen", In: *Text und Kritik* 13/14 (Juni 1966), S. 22–31.
[19] Vgl. dazu: Roland Links, *Alfred Döblin* (Berlin-Ost, 1965), S. 60–62.
[20] Alfred Döblin, *Schicksalsreise, Bericht und Bekenntnis* (Frankfurt/M., 1949), S. 163.

teilnehmen können[21] – eine Forderung, die der Naturalismus längst erfüllt hat. Deshalb finden sich so wenig bürgerliche Helden in den Werken Alfred Döblins, oder, wenn sie dargestellt werden, dann in ironisch-satirischer Absicht. Sie weichen entweder nach unten von der bürgerlichen Mitte ab, wie vor allem Wang-lun und Biberkopf, oder nach oben, wie beispielsweise Wallenstein, Ferdinand und Manas.

Ist so die Wahl des „Helden" nicht von Döblins sozialistischen Anschauungen zu trennen, so beeinflussen diese andrerseits auch die Darstellungsweise. Döblin will nicht in erster Linie bürgerliche Leser erreichen, sondern die Masse, manchmal – wie in *Berlin Alexanderplatz* – in deutlich didaktischer Absicht. Das bedeutet eine Entliterarisierung des Romans und eine konsequente Ablehnung jeder Stilisierung.[22] Döblin bekämpfte zwar bis zum *Hamlet* das l'art pour l'art, lehnte aber gleichzeitig jedes politische, religiöse oder philosophische Engagement in der Kunst ab. „Die Kunst ist wirksam und hat Aufgaben . . . ."[23] Diese Aufgabe ist und bleibt die Erkenntnis. Der Schriftsteller ist deshalb „eine besondere Art Wissenschaftler. Er ist in spezieller Legierung Psychologe, Philosoph, Gesellschaftsbeobachter."[24]

Gerade bei der Untersuchung der Thematik müssen diese Vorstellungen Döblins stets im Auge behalten werden, da vieles sonst unverständlich bleiben muß. Die Interpretation beginnt mit seinem Roman *Die drei Sprünge des Wang-lun,* in dem die angedeutete Thematik in ihrer Dialektik sehr offen zutage tritt, so daß sie hier in exemplarischer Weise erläutert werden kann. Nach einem Exkurs über die Entfaltung der Thematik in den philosophischen Schriften *Das Ich über der Natur* und *Unser Dasein* wendet sich die Untersuchung den Romanen in chronologischer Reihenfolge zu.

---

[21] Alfred Döblin, „Staat und Schriftsteller", In: *Aufsätze zur Literatur,* S. 57.
[22] „Bemerkungen zum Roman", S. 22.
[23] Alfred Döblin, „Kunst ist nicht frei, sondern wirksam: ars militans", In: *Aufsätze zur Literatur,* S. 103.
[24] Alfred Döblin, „Der historische Roman und wir", ebd. S. 178.

II. DAS BILD DES MENSCHEN IM ROMANWERK
ALFRED DÖBLINS

1. DIE EXEMPLARISCHE ENTFALTUNG DER MENSCHLICHEN DIALEKTIK IN
Die drei Sprünge des Wang-lun

Die drei Sprünge des Wang-lun (geschrieben 1912/13, erschienen 1915)
ist Döblins erster großer Roman. Er ist formal sehr stark dem Futurismus
verpflichtet, steht aber thematisch ganz unter dem Einfluß der ostasiati-
schen Philosophie.[1] Döblin weist im „Epilog" selbst auf den Zusammenhang
zwischen Expressionismus und Zen-Philosophie hin.[2] In der für ihn vor-
herrschenden Grundanschauung und -stimmung von der Erbarmungslosig-
keit des Schicksals, dem der einzelne hilflos ausgeliefert ist, fand sich Döblin
hier bestätigt. Er stieß aber auch auf die Möglichkeit einer Lösung: die
Überwindung von Schicksal und Leiden durch Nachgiebigkeit und Anpassung. Aber das erfordert nicht nur Erkenntnis und Einsicht, es widerspricht
der Natur des Menschen, der gegen Unterdrückung, Zwang und Notwendigkeit rebelliert. Zwischen diese polaren Gegensätze, zwischen Auflehnung
und Unterwerfung, die aber Bewußtheit und Einsichtigkeit voraussetzt, sind
die Menschen des Romans eingespannt. Widerstreben und Nicht-Widerstreben sind die Schlüsselbegriffe, die immer wieder auftauchen.[3]
Der Erzähler beginnt seine Schilderung mit den Wahrhaft Schwachen,
die „unter einem alles duldenden Himmel" (11) ihrer endgültigen Vernichtung durch die kaiserlichen Truppen entgegensehen. Dann folgt er dem
historischen Verlauf, der Entstehung und Entwicklung der Sekte, ihrem
Untergang, so daß das Ende des Romans zeitlich ungefähr mit dem Anfang
zusammenfällt. In diesem Bund wird eine alte Fabel erzählt, in der bereits

---

[1] Zur Stoffgeschichte, dem historischen und philosophischen Hintergrund vgl. Walter
Muschg, „Nachwort des Herausgebers", In: *Die drei Sprünge des Wang-lun* (Olten/
Freiburg i. Br., 1960), S. 481–502.
Dieses Nachwort ist identisch mit dem Abschnitt über den *Wang-lun* in: Walter
Muschg, *Von Trakl zu Brecht* (München, 1963), S. 198–219.

[2] Alfred Döblin, „Epilog", In: *Aufsätze zur Literatur*, S. 386.

[3] Vgl. *Wang-lun*, S. 79, 79-80, 111, 124, 138, 160, 172, 219, 241, 261, 310, 316, 399, 430,
459, 480.

das Grundthema angeschlagen wird: die Fragwürdigkeit des menschlichen Handelns und damit die Fragwürdigkeit des Menschen selbst als eines handelnden Wesens. Der Mann, von dem in der Fabel die Rede ist, der sich vor seinem Schatten fürchtet und immer schneller vor ihm davonläuft, bis der Tod seiner Flucht ein Ende setzt, befindet sich in einem circulus vitiosus, da er durch Handeln seinen Taten zu entgehen sucht. Dabei liegt die Lösung auf der Hand: einen schattigen Ort aufsuchen, der den Körperschatten unsichtbar macht, das heißt nicht mehr handeln. Diese Fabel spiegelt die Lehre des Wu-Wei, des Nicht-Handelns, die allein den sinnlosen Kreislauf der Aktivität durchbrechen kann. Die Wahrhaft Schwachen ziehen in Armut und Keuschheit bettelnd und betend durch das Land. Ihr Nicht-Handeln bewahrt sie indessen nicht vor einem furchtbaren Ende. Sie werden zum Handeln gezwungen und gehen handelnd unter. Diese Erfahrung stellt jedoch die Möglichkeit des Nicht-Handelns als Existenzform in Frage. Um eine Lösung dieses antinomisch erscheinenden Konflikts kreist die Thematik des Buches.

Nicht zufällig werden Wang-luns große Körperkraft und Gerissenheit hervorgehoben – Eigenschaften, die in dem brutalen Existenzkampf, den er führen muß, von großem Nutzen sind. Um so bemerkenswerter ist, daß er diese Vorteile preisgibt und zum Führer der Wahrhaft Schwachen wird. Der Sinn des burlesken Kampfes mit dem Bonzen Toh-tsin, den er wiederholt bestiehlt, wobei er jedoch in die unwürdigsten Situationen gerät, ist es, ihm die Grenzen von Kraft und Schlauheit zu zeigen: scheinbar macht der Bonze Wang das Stehlen leicht, gibt ihn aber der Lächerlichkeit preis. Toh überwindet seinen Gegner durch Nachgiebigkeit, so wie Wang und der Bund der Wahrhaft Schwachen später das Schicksal durch Nachgiebigkeit, durch Nicht-Widerstreben zu meistern versuchen.

Der Zweikampf mit Toh ist jedoch nicht das wichtigste Ereignis in dieser Phase von Wangs Entwicklung, auch wenn es ihn von seinem Räuberdasein erlöst. Die entscheidende Wendung – durch den Streit mit Toh vorbereitet – vollzieht sich unter dem Eindruck der Ermordung seines Freundes Su-koh. Wang schwankt zwischen zwei möglichen Reaktionen: Widerstreben oder Nicht-Widerstreben gegen den unaufhaltsamen Gang des Schicksals. Wenn er zunächst den Weg der Auflehnung geht und den Mörder tötet, so deutet er doch später selbst die merkwürdige Form der Rache – Überstülpen einer Maske – als Flucht vor sich selbst, als Hinauszögern eines Entschlusses, der notwendigerweise in entgegengesetzter Richtung fallen muß. Das sichtbare Leiden an seiner Tat verbindet ihn den Bettlern und

Wegelagerern, denen er sich nach seiner Flucht aus der Stadt angeschlossen hat, denn sie halten Leiden für eine Gabe. Mehr als in den Intellektuellen strömt in diesen Gestrandeten „das tiefe Grundgefühl":

> „Die Welt erobern wollen durch Handeln, mißlingt. Die Welt ist von geistiger Art, man soll nicht an ihr rühren. Wer handelt, verliert sie, wer festhält, verliert sie." (48)

Hier ist wohl am deutlichsten das Grundthema des Romans, ja Döblins ausgesprochen: die Frage nach dem Sinn und den Möglichkeiten des Handelns, nach der Problematik der menschlichen Existenz in der Polarität von Handeln und Nicht-Handeln. Noch sehr viel später, in seinem philosophischen Versuch *Das Ich über der Natur* (1927), hat Döblin an dieser Einsicht festgehalten: „Man muß von dem vielen Handeln und Arbeiten ablassen, von der Vermehrung der Materie in der Welt."[4]

In den Nan-ku-Bergen hat Wang-lun eine weitere schicksalhafte Begegnung: er trifft auf Ma-noh, einen entlaufenen Mönch, und in dauerndem Umgang mit ihm und seinen Buddhas beginnt er seine Lehre zu entwickeln. Auch Ma-noh steht – wie Wang-lun – zwischen den Extremen: in die inbrünstige Sehnsucht nach Erfüllung seiner ehrgeizigen religiösen Wünsche mischt sich tiefste Hoffnungslosigkeit. Auch ist er stolz und hochmütig, und so mit Fehlern behaftet, die uns immer wieder an Döblins Helden auffallen werden. Diese Mängel seines Charakters hindern ihn später daran, sich mit der Lehre vom wahrhaften Schwachsein voll und ganz zu identifizieren. Er kann sein eigenes Selbst nicht auslöschen und damit die unerläßliche Voraussetzung für die Verwirklichung des Wu-Wei nicht erfüllen.

Wangs Lehre vom Nicht-Widerstreben nimmt immer deutlichere Konturen an, und, ohne es anzustreben, wächst er immer mehr in eine Führerrolle hinein. Als Soldaten die Bande im Dorf angreifen und vier Mitglieder entführen, entsteht eine erbitterte Diskussion darüber, ob man die Brüder rächen soll. Das Ereignis wird zum Prüfstein der Gesinnungen. Wang stellt sich denen, die zum Aufruhr hetzen, mit einer programmatischen Rede entgegen, in der er die Maximen des Wu-Wei proklamiert:

> „Ich habe es auf allen Wegen, auf den Äckern, Straßen, Bergen, von den alten Leuten gehört, daß nur eins hilft gegen das Schicksal: nicht widerstreben. Ein Frosch kann keinen Storch verschlingen. Ich glaube, liebe Brüder, und will mich

---

[4] Alfred Döblin, *Das Ich über der Natur*, S. 236–237.

daran halten: daß der allmächtige Weltenlauf starr, unbeugsam ist, und nicht von seiner Richtung abweicht. ... Nicht handeln, wie das weiße Wasser schwach und folgsam sein; wie das Licht von jedem dünnen Blatt abgleiten." (79–80)

Damit versucht Wang-lun, seine tiefe Resignation und seinen Pessimismus umzumünzen in eine positive Haltung, indem er das Schicksal und seine Leiden bewußt akzeptiert und willig auf sich nimmt. Aber nicht einmal das ist ihm und seinem Bund vergönnt. Denn nur zu bald zeigt sich, daß sie das Schicksal durch ihre Haltung weder überwinden noch besänftigen können, sondern es nur herausfordern.

Während sich die Wahrhaft Schwachen nach dem Plan Wangs im Lande zerstreuen, um arbeitend, bettelnd, zu allen freundlich, gewaltlos durch die Provinzen zu ziehen, macht dieser sich auf den Weg und erbittet den Schutz der Weißen Wasserlilie, eines mächtigen Geheimbundes. Diese Maßnahme aber schließt bereits das Eingeständnis der Unmöglichkeit ein, die Lehre rein verwirklichen zu können, die von ihnen verlangt, „ohne Widerstand gegen den Weltlauf" (93) zu leben. Durch seinen Besuch bei Chen-yao-fen versucht Wang doch wieder, das Schicksal zu manipulieren; die bloße Unterwerfung unter das Tao scheint nicht möglich zu sein. Als er Chen darauf hinweist, daß „er dem Bunde ein ständig wachsendes Heer bringe, auf das Verlaß sei" (94), verrät er im Grunde bereits die Prinzipien der eben erst gegründeten Gemeinschaft, indem er die Möglichkeit eines bewaffneten Aufruhrs von vornherein nicht von der Hand weist. Wieder wird hier seine Stellung zwischen Aktivität und Passivität, Handeln und Nicht-Handeln, Gewalt und Gewaltlosigkeit deutlich.

Wangs Bund, dessen Führung in seiner Abwesenheit Ma-noh übernommen hat, löst sich auf, kaum da er sich konstituiert hat. Ma-noh zeigt sich unfähig, die Nachfolge Wangs anzutreten. Sein Hochmut, sein Stolz und sein Ehrgeiz machen die Selbstüberwindung, die Preisgabe eigenen Wollens und die Hingabe an das Tao, die für die Verwirklichung der Lehre die wichtigsten Vorbedingungen sind, unmöglich. So ist das Wesen der Lehre für ihn ohne Wangs Persönlichkeit, in der sie sich manifestiert, unerreichbar: „Es hieß wandern, nicht widerstreben, wahrhaft: nicht widerstreben. Das Wort hatte keinen Sinn ohne Wang." (116) Die Fehler seines Charakters isolieren ihn und schließen ihn von der Gemeinschaft aus: „Nichts mehr von dem. Und auch nichts von Wang, von Stille, Gleichmut; er nahm nicht teil an dem wachsenden Ring der Frommen." (129)

Während Wang an den objektiven Gegebenheiten scheitert, die ihm immer wieder die Unmöglichkeit vor Augen führen, seine Lehre rein zu praktizieren und ihn zwingen, zum Schwert zu greifen, ist es Ma-noh schon wegen seiner inneren Disposition, wegen seines unüberwindlichen Hochmuts nicht gegeben, dieses Ziel zu erreichen. Die Erkenntnis der eigenen Schwäche stürzt ihn in Verzweiflung und führt doch auch zu immer neuen verquälten Anstrengungen, die Lehre in ihrer letzten Reinheit zu verwirklichen, womit er in einen klaren Gegensatz zu Wang tritt. Sein ehrgeiziger Drang zum Absoluten kollidiert mit der Wirklichkeit. Er sucht die Lehre Wangs zu ihrer äußersten Konsequenz zu treiben, ohne dadurch ihrem Wesen näher zu kommen. Die Menge verehrt ihn wie einen Heiligen, was wiederum eine Versuchung für ihn bedeutet, der er nicht zu widerstehen vermag. Wie er die ehrgeizigen Wünsche seines Innern nicht zum Schweigen bringen kann, so erlaubt er auch den Brüdern und Schwestern seines neugegründeten Bundes der Gebrochenen Melone, ihren Gelüsten nachzugeben. Nach dem futuristischen Sturmlauf auf den Frauenhügel wird die heilige Prostitution eingeführt.

In dem Gespräch zwischen Ma-noh und dem zurückgekehrten Wang, der als Zeichen seiner Wandlung ein Schwert, den Gelben Springer, trägt, wird erneut die Diskrepanz zwischen beiden Männern deutlich. Wang wirft dem Mönch vor, er habe selber Schicksal spielen wollen, anstatt sich dem Tao zu unterwerfen. Außerdem seien ihnen die einfachen Freuden des Lebens versagt, ebenso wie die billige Hoffnung auf das Jenseits, das Westliche Paradies: „Uns ist das alles versagt. Uns ist etwas anderes gegeben, nämlich dies alles zu wissen." (155) Der fundamentale Unterschied zwischen beiden liegt jedoch darin, daß Ma-noh – anders als Wang – die Selbstpreisgabe, welche die Verwirklichung der Lehre vom Wu-Wei impliziert, nicht vollziehen kann. Das hält Wang seinem ehemaligen Lehrer vor:

> „Ich habe mich entschlagen von mehr, als du weißt, Ma-noh, von mehr als einem Weib und tausend Weibern; von mir selbst habe ich mich abtrennen müssen, von meinen Armen, meinen Beinen, von meiner Geburt und Vergangenheit, hab meine eigenen weißen Därme in ihre Bäuche gewühlt und mich ausgeblutet. Mit Gewalt hab ich das tun müssen. ... Aber du, Ma-noh, bist nichts von dem. Wohl dir. Ja, dir blitzt die Hoffnung aus den Augen, und in deinen Eingeweiden sitzt das Vergnügen. Du bist kleiner als ich, du bist dürftiger als ich, trockener als ich, aber prahlst vor mir mit deinem Leben." (159)

Ist im Falle Ma-nohs die Lehre der Wahrhaft Schwachen von innen her bedroht, weil er nicht in der Lage ist, sein Selbst zu überwinden, so ist andrerseits Wang-lun keineswegs frei von Zweifeln. Davon zeugte bereits sein Besuch bei der Weißen Wasserlilie und jetzt erneut das Tragen des Schwertes. Die Lehre rein zu verwirklichen, erscheint unmöglich, und so beginnt sich Wangs Konzeption zu ändern: er glaubt die Rolle des friedlichen Wahrhaft Schwachen preisgeben und zum Verteidiger seiner Brüder werden zu müssen.

Doch beides, die Auflehnung gegen und die Unterwerfung unter ein starres, erbarmungsloses Schicksal, scheint nur zu demselben Resultat zu führen: zu einem sinnlosen Untergang. Zwischen beide Extreme aber ist Wang eingespannt, sein Leben und Denken bewegen sich zwischen ihnen hin und her, und alle Episoden des Romans weisen nur auf diese Antithetik zurück; Widerstreben wechselt mit Nicht-Widerstreben. Als Wang bei Tsinan-fu gefangen und ins Gefängnis geworfen wird, verfällt er aufs neue in das andere Extrem. Er will nicht mehr widerstreben: „Und jetzt überfiel Wang die Veruchung: hier zu bleiben, die Gerichtsverhandlung abzuwarten, die Strafe des Zerschneidens in Stücke zu erdulden." (163) Er sehnt sich nach dem Glück zu sterben. Aber dann befreit er sich doch aus dem Gefängnis und entkommt, denn:

> Es hat keinen Sinn zu sterben. Man kann es nicht laufen lassen. Der Vogt hat unrecht, und die Bettler haben unrecht. Sie weichen beide vom Tao ab. Einer muß anfangen mit dem rechten Weg. (165)

Doch welches ist der rechte Weg? Während Wang, ermüdet von dem Hin und Her, der Entscheidung auszuweichen sucht und in sein früheres Vagabundenleben zurückfällt, gehen Ma-noh und sein Bund dem Untergang entgegen. Angestachelt von seinem Ehrgeiz, ringt er darum, die Lehre vom Nicht-Widerstreben in äußerster Konsequenz zu leben, aber nur, um dieselbe Konfliktsituation zu erfahren wie Wang. Auch Ma sieht, daß die konsequent verwirklichte Lehre vom Wu-Wei in den Untergang führen muß. Indem er sich darum bemüht, einen schon schwelenden Aufstand gleichsam als lebenden Schutzschild für seinen Bund zu gebrauchen, handelt er – wie Wang – bereits wieder politisch und verletzt das Gesetz des Nicht-Widerstrebens. Der Versuch, so die Gebrochene Melone vor der Katastrophe zu bewahren – ein Versuch, der erneut die der Lehre innewohnende Dialektik von Handeln und Nicht-Handeln enthüllt –, ist zum Scheitern verurteilt. Auch daß er sich selbst später zum Führer der Revolutionäre macht, die Aufständischen als Instrument der eigenen Rettung mißbrauchend und so den humanen Geist der Lehre verratend, ändert das Schicksal der Gebrochenen Melone nicht. Nachdem Mas Unternehmen mißglückt ist, scheint ihm, dem „heftigen korrekturbedürftigen Ekstatiker" (249), die konsequent verwirklichte Lehre zu gebieten, den schon getöteten Brüdern und Schwestern nachzusterben. Um ihr Ende zu erleichtern, vergiftet Wang die Brunnen in der belagerten Stadt, abermals den Prinzipien der eigenen Lehre zuwiderhandelnd. Wang gibt dem Mönch die Schuld am Untergang der Gebrochenen Melone:

> „Er war stolz, er war ehrgeizig, er trug im Geiste Pfeil, Bogen und Schwert; er war kein Wahrhaft Schwacher, kein Bruder der herrlichen Gebrochenen Melone. Darum habe ich ihn verlassen, der ich Reinigung und Frieden für meinen Geist brauche." (261)

Wichtiger als die Frage nach den Ursachen der Katastrophe ist jedoch die Tatsache, daß auch Ma-noh — von seiner häufig ans Pathologische grenzenden seelischen Verfassung einmal abgesehen — in derselben dialektischen Situation zwischen Widerstreben und Nicht-Widerstreben, Handeln und Leiden steht wie Wang. Auch er muß erleben, daß Nicht-Widerstreben das Verhängnis nicht aufhalten kann, ebensowenig wie der paradoxe Versuch, ihr pflanzenhaftes passives Dasein durch politisches Handeln zu garantieren. Daß dies tatsächlich der thematische Kern des Romans ist, zeigt der Blick auf eine weitere Hauptfigur: den Kaiser Khien-lung.

Er interessiert uns in diesem Zusammenhang nicht als politischer Gegenspieler Wangs, sondern weil auch er in der für Wang und Ma charakteristischen Konfliktsituation steht, wenngleich in anderer Form. Schwanken die beiden zwischen Auflehnung und Unterwerfung, so bewegt sich der Kaiser zwischen seinem Herrschaftsanspruch und dem Eingeständnis seiner Ohnmacht hin und her, ein Motiv, das im *Wallenstein* ganz in den Vordergrund tritt. Trotz seiner hohen Stellung ahnt der Kaiser die Nichtigkeit seiner Existenz: „Grauenvoller Widerspruch: der Kaiser ahnte, wie er ein Nichts wäre, und ließ die morden, die es noch tiefer ahnten, die es inniger bekannten." (334) Er muß als Kaiser den Menschen in sich töten, um seiner Rolle und dem Reich genügen zu können. Zwischen Menschsein und Kaisertum hin- und hergerissen, kann er sich nur schwer zu einem Entschluß durchringen. Dieser innere Zwiespalt, dem er hoffnungslos ausgeliefert ist, ohne ihn wirklich lösen zu können, treibt ihn zum Selbstmord, der jedoch mißglückt. Schließlich befiehlt er unter dem Einfluß seines Sohnes die Unterdrückung der Wahrhaft Schwachen.

Auf der anderen Seite kommt auch Wang nicht zur Ruhe. Er hat erfahren müssen, daß das Schwert, welches er zur Verteidigung seiner Brüder und

Schwestern benutzt hat, gegen seine Brust zurückgeprallt ist; er verzweifelt an der Möglichkeit, überhaupt irgendetwas ändern zu können. Desillusioniert von dem Untergang der Gebrochenen Melone, weicht er in eine kleinbürgerliche Existenz als Fischer aus. Allein sein Versuch, gleichsam in der indifferenten Mitte zwischen den Extremen des Handelns und Nicht-Handelns, zwischen Auflehnung und Unterwerfung zu verharren, scheitert, da er sich seinen Anhängern nicht entziehen kann. Wieder geht er den Weg der Auflehnung, als er die Weiße Wasserlilie um Geld für die Bewaffnung seiner Brüder bittet. Aber trotz des Aufstandes gegen die fremde Mandschu-Dynastie bleibt im Volk die Naturreligion des Wu-Wei lebendig, ein unstillbares Verlangen nach dem Nicht-Widerstreben und dem Eintauchen in das Tao: „‚Wie die alten Worte lauten: Schwach gegen das Schicksal sein ist der einzige Triumph eines Menschen; zur Besinnung müssen wir kommen vor dem Tao, uns ihm anschmiegen: dann folgt es wie ein Kind.‘" (389)

Nicht alle jedoch können den Schritt Wangs zur Revolution mitvollziehen. In der leidenschaftlichen Auseinandersetzung zwischen Ngoh, welcher der Lehre des Wu-Wei treu bleiben will, und Wang, der nicht mehr an die Möglichkeit des Wahrhaft-Schwach-Seins glaubt, wird noch einmal um die Lehre gerungen. Ngoh will ein Wahrhaft Schwacher bleiben:

„Ich bin ein Wahrhaft Schwacher, will mich dem Tao anähnlichen, dem Schicksal niemals widerstreben, bei keinem Schlag, den ich erleide. Auf dem Pferd hab ich gesessen, bevor ich zu euch auf die Nan-ku-Berge kam, geschossen, das Schwert, die Lanze geschwungen. Was ich damals erduldet habe und weil ich damals so viel erduldet habe, bin ich fortgeschlichen von den Pferden und Waffen und habe mich auf deine gute, o so gute, nochmals gute Lehre gebettet." (399)

Aber Wang ist davon überzeugt, daß es unmöglich ist, die Lehre zu praktizieren:

„Es — ist — uns — nicht — beschieden —, Wahrhaft Schwache zu sein, — es — ist — uns — nicht beschieden; ich will mich ganz für dich auspressen. ... Ein Wahrhaft Schwacher kann nur ein Selbstmörder sein." (402—403)

Als Wang durch einen rätselhaften Umschwung der Ereignisse der schon sicher geglaubte Sieg wieder entrissen wird, setzt sich der Rest der Aufständischen in der befestigten Stadt Tung-chong fest, wo sie ihr Ende erwarten. Doch damit ist Wangs Haltung nicht zugunsten des Aufstandes, des Widerstrebens entschieden. Das Pendel schlägt abermals zur anderen Seite, zum Nicht-Widerstreben zurück. In dem Räuber, der ihm zur Vernehmung gebracht wird, erkennt er seinen Bruder und sich selbst. Sein Irrtum wird ihm bewußt, und wieder erwacht der Wunsch in ihm, arm zu sein, wie sein Bruder vor ihm zu leiden und so durch Unterwerfung das Schicksal zu besänftigen. Damit hat er aber seine ursprüngliche Haltung wiedergewonnen. Seinem Freund Gelbe Glocke, der ihm durch eine Fabel verdeutlicht, daß sie zwar die richtige Lehre, aber nicht den Glauben an ihre Verwirklichung haben, erklärt Wang sein Leben durch drei Sprünge über einen Bach: der erste Sprung trägt ihn in die Ausgangssituation auf den Nan-ku-Bergen, der zweite in die Indifferenz und das Widerstreben, der dritte zurück zum Nicht-Widersreben, das er jetzt wiedergefunden hat, um es festzuhalten. Aber die Zeit, in der die Lehre rein verwirklicht werden könnte, ist noch nicht da. Deshalb braucht er noch das Schwert, den Gelben Springer, deshalb muß noch gekämpft werden: „Die Zeit, wo alle den reinen Weg gingen, sei noch nicht da. Nur durch die Ergebung und Sanftmut könnte man die Furchtbarkeiten des Lebens, die Eisenhiebe des Leidens verwinden." (470) Obwohl die Kluft zwischen Idee und Wirklichkeit größer ist als je, ist Wang doch von der Richtigkeit seiner Anschauungen überzeugt:

Die Worte von Nan-ku fand er wieder; wie klein die Menschen wären, wie rasch alles verginge und wie wenig der Lärm nütze. Die Kaiserlichen und Mandschus könnten siegen; was würde es ihnen helfen? Wer im Fieber lebt, erobert Länder und verliert sie; es ist ein Durcheinander, weiter nichts. Die Wölfe und Tiger sind schlechte Tiere; wer sich diese zum Vorbild nehme, fresse und werde gefressen. Die Menschen müßten denken, wie der Boden denkt, das Wasser denkt, die Wälder denken: ohne Aufsehen, langsam, still; alle Veränderungen und Einflüsse nehmen sie hin, wandeln sich nach ihnen. Sie, die wahrhaft schwach gegen das gute Schicksal waren, seien gezwungen worden zu kämpfen. Die reine Lehre dürfte nicht ausgerottet werden, gelöscht wie schlechte Tusche. ... Schwach sein, ertragen, sich fügen hieße der reine Weg. In die Schläge des Schicksals sich finden hieße der reine Weg. Angeschmiegt an die Ereignisse, Wasser an Wasser, angeschmiegt an die Flüsse, das Land, die Luft, immer Bruder und Schwester, Liebe hieße der reine Weg. (471)

In der Nacht vor der Vernichtung durch die kaiserlichen Truppen begegnet Wang sich selbst: Wang, der gerade an seine Brüder Waffen verteilt, sieht sich selbst lesend am Tisch sitzen. In dieser Erscheinung kommen noch einmal die beiden Extreme seines Lebens zum Ausdruck, die aktive und die kontemplative Seite, die Revolution und die Resignation.

Während der Rest der Wahrhaft Schwachen kämpfend in den Tod geht, wallfahrtet Hai-tang, die Frau eines Generals, die im Kampf gegen die

Aufständischen zwei Kinder verloren hat, zur Göttin Kuan-yin, um die Ruhe zu finden, die ihr die Befriedigung ihrer Rachegefühle nicht geben kann. Die Götin rät ihr: „„Hai-tang, laß deine Brust. Deine Kinder schlafen bei mir. Stille sein, nicht widerstreben, oh, nicht widerstreben!"" (480) Aber Hai-tang antwortet ihr mit der Frage: „„Stille sein, nicht widerstreben, kann ich es denn?"" (480) So bleibt die Frage nach der Möglichkeit der menschlichen Existenz zwischen Auflehnung und Unterwerfung letztlich unbeantwortet. Beide Möglichkeiten liegen in der menschlichen Natur, aber jedes Extrem scheint nur in die Ausweglosigkeit zu führen. Zwar revoltiert der Mensch gegen Zwang und Vergewaltigung durch das Schicksal; nichtsdestoweniger ist es seine Aufgabe, sich dem allgemeinen Weltlauf anzupassen: „Man's acts and behaviour can and should harmonize with the general course of the world."[5] Nur der Mensch kann die Harmonie des Universums stören, und deshalb ist es seine Pflicht, „to preserve permanently the balance of the cosmos"[6].

Der Mensch steht in der dialektischen Situation Wangs, Ma-nohs oder des Kaisers. Deshalb ist es nur zum Teil richtig, wenn Elshorst meint, Wang-lun sei „trotz des selbstlosen Einsatzes an der gesellschaftlichen Konstellation" gescheitert.[7] Daß es nicht in erster Linie um „den sozialen Antagonismus Masse – Gesellschaft"[8] geht, beweist auch die Tatsache, daß sich eine verwandte Konfliktsituation in drei verschiedenen Individuen, Wang-lun, Ma-noh und dem Kaiser darbietet. Elshorst muß von seinem soziologischen Ansatzpunkt her den Kaiser lediglich als Wangs Gegenspieler auffassen und wird damit dieser Figur in ihrer Komplexität nicht gerecht.

In anderer Hinsicht hat Döblin selbst viele Interpreten durch eine Bemerkung im „Epilog" in die Irre geführt. Er sagt hier, mit dem Buch *Berge Meere und Giganten* (1924) sei er „den Weg der Massen und großen Kollektivkräfte zu Ende gegangen"[9]. Dieser Hinweis bot sich als bequeme Zäsur an und ist daher von vielen Interpreten allzu ungeprüft übernommen worden. Vor allem Walter Muschg hat aus dieser Bemerkung den Schluß gezogen, Döblin habe das Kollektiv zum Romanhelden gemacht.[10]

---

[5] *The Living Thoughts of Confucius.* Presented by Alfred Döblin (London, Toronto, 1940), S. 17 (= The Living Thoughts Library).
[6] Ebd. S. 22.
[7] Hansjörg Elshorst, *Mensch und Umwelt im Werk Alfred Döblins*, Diss. (München, 1966), S. 18.
[8] Ebd. S. 17.
[9] Alfred Döblin, „Epilog", S. 389.
[10] Walter Muschg, „Nachwort des Herausgebers", S. 488.

Eine Interpretation gerade des *Wang-lun* jedoch zeigt, wie sehr der einzelne mit seiner individuellen Entscheidung im Zentrum des Romangeschehens steht. Die Bemerkung Döblins auf die Massenszenen des Romans zu beziehen, ist allzu oberflächlich. Döblin selbst hat offenbar den einzelnen als Romanhelden verstanden:

> Ich sah, wie die Welt — die Natur, die Gesellschaft — gleich einem tonnenschweren eisernen Tank über die Menschen, über den Menschen rollt. Wang-lun, der Held meines ersten umfänglichen Romans, erfuhr dies. Er zieht sich, am Leben geblieben, mit einer Anzahl ebenso Blessierter von dieser gewaltigen, menschenfeindlichen Welt zurück, und ohne sie anzugreifen, fordert er sie heraus. Sie rollt dennoch über ihn und seine Freunde.[11]

Auch früher schon hat Döblin darauf hingewiesen, daß er Wang-lun als den Helden des Romans betrachtet: „Episches Thema aber war: einer kämpft vergeblich gewaltlos gegen die Gewalt, ein schwacher Held, der wahrhaft Schwache."[12] Es ist aber nicht zu verkennen, daß Wang-lun die Lösung seiner Probleme bei der Masse der Armen, der Bettler, der Räuber und Mörder, der Verachteten sucht. Hier stößt man auf ein Motiv, welches das ganze Werk Döblins durchzieht. In extremen Situationen flüchten seine Figuren oft in die Anonymität der Masse, Wang-lun hält sich bei den Räubern und Wegelagerern auf, Kaiser Ferdinand mischt sich unter die Verelendeten des 30jährigen Krieges, Karl (in *Pardon wird nicht gegeben)* führt ein Doppelleben unter zwielichten Figuren in der Vorstadt, der „Gott" Konrad (in *Babylonische Wandrung*) schließt sich mittelalterlichen Geisslerzügen und Pariser Clochards an, und Friedrich Becker (in *November 1918)* zieht mit Bettlern durch das Land. Auch in *Berlin Alexanderplatz* steht am Ende das utopische Bild der Masse, wenngleich Döblin es erst nachträglich hinzufügte.[13] Alle diese Figuren erkennen die Unwahrhaftigkeit und Hochmütigkeit eines individuell gelebten Lebens und kehren sehnsüchtig in die Masse der Leidenden zurück. Hans Erich Nossack hat gezeigt, daß dieser Rückzug in die Anonymität ein Charakteristikum der gesamten modernen Literatur ist.[14] Bei Döblin hängt dieses Ausweichen, dieses Nicht-Widerstreben durch Eintauchen in die anonyme Masse der Armen und Entrech-

---

[11] Alfred Döblin, „Epilog", S. 387.
[12] Alfred Döblin, „Der Bau des epischen Werks", In: *Aufsätze zur Literatur*, S. 126–127.
[13] Vgl. Helmut Becker, *Untersuchungen zum epischen Werk Alfred Döblins am Beispiel seines Romans „Berlin Alexanderplatz"*, Diss. (Marburg, 1962), S. 78–79.
[14] Hans Erich Nossack, „Der Mensch in der heutigen Literatur", In: *Jahresring* (1962/1963), S. 44–60.

teten nicht nur mit seinen eigenen Jugenderlebnissen und seinen sozialen Anschauungen zusammen, sondern vor allem mit seiner Naturphilosophie. Er sah den Menschen a u c h als Kollektivwesen, als Stück der Natur, eingebettet in die großen anonymen Massenvorgänge des Naturgeschehens. Nicht zufällig heißt es im *Wang-lun* von den Wahrhaft Schwachen: „Viele aßen kein Fleisch, brachen keine Blumen um, schienen Freundschaft mit den Pflanzen, Tieren und Steinen zu halten." (11)

Die Situation des Menschen ist charakterisiert durch die Antithetik von individueller Bestimmtheit und anonymem Geschehen. Als geistbestimmtes Wesen aufgerufen zu verantwortlichem, bewußtem Handeln, sieht sich der Mensch doch immer überindividuellen Vorgängen gegenüber, die sein Handeln in Frage stellen. Diese Vorgänge, im *Wang-lun* zusammengefaßt als Schicksal oder Tao, sind starr, unlenkbar, dem einzelnen gegenüber zu mächtig, als daß er sich gegen sie durchsetzen könnte. So scheint er sich ihnen bedingungslos unterwerfen zu sollen. Aber da sein Ich gegen diese Vorgänge revoltiert, die seine Autonomie als Individuum bedrohen, erhebt sich die Frage, ob er in dieser Unterwerfung verharren kann. Dies ist die Situation Wangs. Die Lösung wird auf die Zukunft verschoben: „Die Zeit, wo alle den reinen Weg gingen, sei noch nicht da." (470)

2. DIE THEMATIK VON AUFLEHNUNG UND UNTERWERFUNG IN NATURPHILOSOPHISCHER SICHT: DAS „PRIVATE ICH" UND DIE ANONYMITÄT DER MASSENVORGÄNGE

Der richtige Zugang zum tieferen Verständnis nicht nur des *Wang-lun*, sondern des Döblinschen Gesamtwerkes kann nur von seiner Naturphilosophie her gefunden werden, wie er sie vor allem in den beiden Büchern *Das Ich über der Natur* (1927) und *Unser Dasein* (1933), jedoch auch schon vorher in zahlreichen Aufätzen[1] niedergelegt hat. Nach Döblins eigener Bibliographie in dem zusammen mit Oskar Loerke herausgegebenen Band *Alfred Döblin. Im Buch. Zu Haus. Auf der Straße.* hat die Arbeit an *Das Ich über der Natur* bereits 1905 begonnen.[2] Schließt man Döblins Schrift *Der unsterbliche Mensch* (1958), in der naturphilosophische Vorstellungen mit christlichem Gedankengut verschmolzen werden, mit ein, so läßt sich mit Recht behaupten, daß diese Vorstellungen Döblins ganzes Leben begleitet haben. Unter diesen Schriften nimmt *Das Ich über der Natur* eine zentrale Stellung ein, weil Döblin hier in einer für ihn ungewöhnlichen Kürze versucht, seine Erkenntnisse systematisch darzustellen. Die Bedeutung dieses Buches für das Gesamtwerk Döblins hat bereits Oskar Loerke erkannt.[3]

Bis zu seiner Konversion hat Döblin immer wieder das Christentum angegriffen, empfand aber gleichzeitig sehr stark das Bedürfnis nach einer neuen „Mythologie"[4]. Er fand sie in einer Naturreligion, die das Ich in eine allseitige Kommunikation mit der Natur setzt.[5] Nur durch die stete Verbindung mit den anonymen Urgewalten wird es in der zeitlichen Existenz

---

[1] Die wichtigsten dieser Aufsätze, die zum Teil wörtlich in die genannten Schriften *Das Ich über der Natur* und *Unser Dasein* übernommen wurden, sind:
„Buddho und die Natur", In: *Die Neue Rundschau* XXXII (1921), S. 1192–1200.
„Die Natur und ihre Seelen", In: *Der neue Merkur* VI (1922), S. 5–14.
„Das Wasser", In: *Die Neue Rundschau* XXXIII (1922), S. 853–858.
„Blick auf die Naturwissenschaft", ebd. XXXIV (1923), S. 1132–1138.
„Die große Natur und der größere Mensch", ebd. XXXVIII (1927), S. 161–181.
„Vom Ich und vom Ur-Sinn", ebd. S. 283–301.
[2] *Alfred Döblin. Im Buch. Zu Haus. Auf der Straße.* Vorgestellt von Alfred Döblin und Oskar Loerke (Berlin, 1928), S. 111.
[3] Ebd. S. 119.
[4] Alfred Döblin, „Jenseits von Gott!", In: *Die Erhebung*, ed. Alfred Wolfenstein (Berlin 1919), S. 381–398.
[5] Vgl. zum Folgenden: Robert Bruce Kimber, *Alfred Döblin's Godless Mysticism*. Diss. (Princeton University, 1965). (Diss. Abstr. XXVI, 3955–3956.)

gehalten, um dann wieder zu ihnen zurückzukehren: „Das persönliche Ich ist nicht zu halten. Am persönlichen Ich haftet der Tod. Das Leben und die Wahrheit ist nur bei der Anonymität."[6] So erklärt sich der „Trieb zur Entichung",[7] ein Verlangen nach Entindividualisierung und Depersonalisation, das den einzelnen in die Anonymität der Massenvorgänge zurücktreibt, aus der er entstanden ist:

> Mißachtung, Auslöschung des ephemeren „Ich" dieser Form, des trügerischen „Ich". Fertigsein für den Rückstrom in die anonyme Welt. Aufrechterhalten, aufrichten die Verbindung mit der Anonymität auch in dieser Daseinsform, mit den beseelten großen Wesen ....[8]

Nicht in der Isolation, sondern in der steten Kommunikation mit diesen „Wesen", „im Umgang mit Steinen, Blumen, fliessendem Wasser"[9] lebt der Mensch, erst durch die dauernde Berührung mit diesen Kräften regeneriert er sich, was vor allem auch in dem Roman *Berge, Meere und Giganten* gezeigt wird. Döblin sah hinter diesen Kräften der Natur kein bloss materialistisches, sondern ein geistiges Prinzip wirken, das der Mensch verehren soll:

> Wenn ich einen Tempel bauen würde, würde ich ein großes ruhiges Wasserbecken, ein Bassin in einen Hof als Mittelpunkt setzen. Dabei würde ich unbehauene Steine lose hinlegen. Jeder dürfte sie berühren, das Gesicht daran legen. Sie wären heilig. Die Vertreter der großen Geister, von denen auch wir sind.[10]

Der Mensch wächst aus der Natur heraus, verbleibt aber in dauernder Kommunikation mit ihr:

> Ich wachse, auch als Mensch, auch mit dem Geist, mit meinem Willen nicht anders wie ein Baum. Ich möchte mit Äpfeln vollhängen. Vögel sollen auf mir nisten. Im Winter will ich im Schnee stehen, die Engerlinge zwischen meinen Wurzeln.[11]

---

[6] Alfred Döblin, *Das Ich über der Natur,* S. 126.
[7] Ebd. S. 136.
[8] Ebd. S. 149. Ähnliche Gedankengänge finden sich u. a. bei Hermann Hesse, der ebenso wie Döblin stark von östlicher Philosophie, besonders dem Buddhismus, beeinflußt war. In *Der Steppenwolf* heißt es beispielsweise: „Jede Geburt bedeutet Trennung vom All, bedeutet Umgrenzung, Absonderung von Gott, leidvolle Neuwerdung. Rückkehr ins All, Aufhebung der leidvollen Individuation, Gottwerden bedeutet: Seine Seele so erweitert haben, daß sie das All wieder zu umfassen vermag." („Traktat vom Steppenwolf").
[9] Ebd. S. 150.
[10] Ebd. S. 151.
[11] *Alfred Döblin. Im Buch. Zu Haus. Auf der Straße.* S. 109.

Aber der Mensch ist nicht nur - wie hier deutlich wird - Stück der Natur, er ist auch ihr Gegenstück. Dem einen Ich, das „eingelagert in die Natur und die menschliche Masse"[12] ist, mit seinem „Trieb zur Masse", dem anti-individuellen Trieb"[13], steht ein anderes Ich gegenüber. Insofern der Mensch in die Natur eingebettet ist, neigt er dazu, sich den anonymen Naturvorgängen anzugleichen, ja, sich an sie zu verlieren. Aber da er als individuell geformtes geistiges Wesen gleichzeitig über der Natur steht, will er indes auch sein geformtes Ich den anonymen Massenvorgängen gegenüberstellen, sich in seiner Individualität bewahren. Diese entgegengesetzten Neigungen, sich zu verlieren und sich zu bewahren, die Unterwerfung und die Auflehnung, bilden die „dialektische Spannung"[14] im Menschen, durch die sich die Welt fortbewegt. Der eine Trieb ist jedoch vom anderen nicht zu trennen; beide gehören als Einheit zur menschlichen Natur. Döblin begegnet der Gefahr, den Menschen dualistisch aufzuspalten, durch die Konstruktion des „Ur-Ichs", das geistiger Art ist, in der Natur wirkt und so bis in den einzelnen hinein ausstrahlt. So ist das „private Ich" auch Teil des „Ur-Ichs":

Daß das Ich vom Ur-Ich abstammt, macht es ruhig und glücklich, und ebendies macht es unruhig und unglücklich, weil es nämlich nicht mehr bei dem Ur-Ich ist. So ist alle Bewegung in der zeitlichen Welt ein Tasten und Suchen der Ichs, zu einander zu finden und sich, ihr Individuelles, aufzugeben.[15]

Die Helden Döblins gehen daher immer einen typischen Weg: das Bewußtsein ihrer Individualität, ihr Egoismus, Hochmut, Stolz und Machtbewusstsein werden zerbrochen. Erst dann können sie den Zusammenhang mit dem Ur-Ich, dem Urgrund der Existenz (und später mit Gott) erfahren. Schmerz, Opfer, Selbstpreisgabe, Liebe und Tod sind notwendige Erfahrungen auf diesem Wege, und daher kommt diesen Phänomenen entscheidende Bedeutung im Werk Döblins zu:

Es muß der Weg in die völlige Vernichtung, die Auslöschung, die Zernichtung gegangen sein. Das Versagen, die vollkommene Ohnmacht muß da sein, die Zunge mit Schweigen geschlagen, alle Worte dumm und lächerlich. Dies mußt du fühlen: du mußt nicht die Ströme oder Berge ansehen, sondern das trockene Blatt, das vom Baume herunterflattert, und das kannst du zwischen die Finger

---

[12] Alfred Döblin, *Das Ich über der Natur*, S. 162.
[13] Ebd. S. 161.
[14] Alfred Döblin, *Unser Dasein* (Olten/Freiburg i. Br., 1964), S. 176, vgl. auch: *Der unsterbliche Mensch* (Freiburg i. Br., 1959), S. 77 (= Herder Taschenbuch 41).
[15] Alfred Döblin, *Das Ich über der Natur*, S. 168.

nehmen und zerreiben, siehst du: das bist du. Jetzt erst ist das erfolgt, was erfolgen muß, ehe man eine einzige Bewegung machen darf, ehe man ein einziges Wort aussprechen darf: die Einreihung. ...

Du bist angekoppelt an das Sein — und du bist. Du hältst noch das trockene Blatt in der Hand, zerreibst es, zerstäubst es, das bin ich, aber schon zittert es in dir: ich bin doch; es geht warm durch dich: ich bin nicht mehr als dies, aber ich bin; du merkst, anders bist du, als du bisher wußtest, und langsam, langsam fühlst du dich ein.[16]

Diesen Weg der Erkenntnis und des Opfers gehen - wie jetzt im einzelnen zu zeigen sein wird – alle Helden Döblins. In diesem Prozeß werden die entscheidenden Züge seines Menschenbildes sichtbar.

Nachdem bisher der Versuch unternommen worden ist, diese Aspekte des Döblinschen Menschenbildes in exemplarischer Weise in dem Roman *Die drei Sprünge des Wang-lun* zu erläutern und sie auf die naturphilosophischen Gedankengänge Döblins zurückzuführen, soll dieses Menschenbild nun in seinem gesamten epischen Werk in chronologischer Reihenfolge untersucht werden.

[16] Alfred Döblin, *Unser Dasein*, S. 476.

3. INDIVIDUELLES BEWUSSTSEIN UND ÜBERMACHT DER LEBENSVORGÄNGE IN *Der schwarze Vorhang*

Dieser erste kleine Roman Döblins, der bereits 1902/03 geschrieben, dann 1911/12 in Fortsetzungen im *Sturm* abgedruckt und schließlich 1919 in Buchform veröffentlicht wurde, ist von Kritik und Wissenschaft zu Unrecht vernachlässigt worden, denn er enthält bereits viele Motive der späteren Werke. Muschg tut ihn damit ab, daß er ihn den „selbstverliebten, stimmungsschweren Erzählungen" zurechnet.[1]

Aber auch dieser Roman umkreist die Grundfrage nach der Situation des Menschen in der oben gekennzeichneten Weise, die für Döblins Werk charakteristisch ist. Auch hier geht es um die dialektische menschliche Situation zwischen Auflehnung gegen das Schicksal und Preisgegebenheit an ein letztlich irrationales Lebensgeschehen, das sich jedem Verständnis zu entziehen scheint. Der Roman ist handlungsarm, er kreist um die inneren Zustände der beiden Hauptfiguren, des Gymnasiasten Johannes und der rothaarigen Irene, so daß er sehr leicht als Darstellung pubertärer Schwierigkeiten mißzuverstehen ist. Die pubertären Vorgänge sind indessen nur Zeichen der Übermächtigkeit der Lebenskräfte selbst, denen sich der Mensch gegenübersieht. So gesehen ist die Pubertätskrise nur vordergründig, weil sie in sehr direkter Weise auf die Frage nach dem Sinn des Lebens und des Individuums hinführt.

Mit der Geschlechtsreife beginnt „das Leben mit Raschheit und Heftigkeit" (15) im Körper des Johannes zu arbeiten. In sehr allgemeinen Wendungen wird immer wieder von der Gewalt des Lebens gesprochen, die ihm die Grenzen seiner Individualität aufzeigt und ihn schließlich zerstört. Da er seinen Glauben an die Autonomie des Individuums nicht preisgeben will, bringt auch die Haßliebe zu der rothaarigen Irene keine Lösung, denn er betrachtet sie nur als betrügerisches Mittel des Lebens, das sich selbst so auf Kosten des Individuums erhält:

Er konnte es nicht fassen, daß der Mensch nicht satt in sich selbst ruhe, zu Mann und Weib zersplittert, ewig über die eigenen Grenzen gedrängt, an

---

[1] Walter Muschg, *Von Trakl zu Brecht*, S. 45.

fremdes Lebendiges getrieben werde. Das Kainszeichen der Geschlechtlichkeit trägt jeder: unstät und flüchtig sollst du sein, du sollst – lieben. ... Das Einzelne bleibt nicht ruhig in sich selbst; es taumelt und darf nicht stolz sein, es kommt zu sich indem es zum andern kommt, gewinnt sich erst im andern, das Bruchstück, das Wertlose. Wir sind gebunden, verloren und verraten eins ans andere. Oh, wie verstand er das Wort, daß der Mensch nicht allein sein solle; oh, wie verstand er, daß es das Wort eines mitleidlosen, menschenstolzhassenden Gottes war. (41–42)

Hier bereits findet sich der Gedanke Döblins, der wohl am entscheidendsten sein Menschenbild geprägt hat. Die Vorstellung, daß es ein isoliertes, unabhängiges und selbstherrliches Individuum gibt, ist nicht haltbar, weil der Mensch mit der Natur und der Gesellschaft kommuniziert. Johannes hat zwar die Einsicht in diese Zusammenhänge, aber sein Stolz verbietet ihm, die Konsequenzen daraus zu ziehen. Er will sich nicht – wie Wang-lun – diesen Gewalten unterwerfen, sondern er stellt sich ihnen mit dem ohnmächtigen Haß und Stolz des Individuums entgegen. Er sieht in seinem Stolz, der Döblinschen Todsünde, nur das Böse in dieser unfaßbaren irrationalen Macht. Deshalb kann es für ihn keine wirkliche Brücke zum andern, keine Liebe und keinen Sinn des Lebens geben.

Ebenso wie die Macht des Lebens sich der Liebe bedient, um das Individuum desto sicherer vernichten zu können, bedient sie sich der Worte und Zufälle, daher der Untertitel *Roman von den Worten und Zufällen*. Wie bei Nietzsche, von dem der Roman beeinflußt ist, die apollinische Macht der Kunst den dionysischen Abgrund des Lebens verhüllt, so verdeckt bei Döblin das Wort die Fülle der Gedanken und Beziehungen, die erst das eigentliche Leben ausmachen. Die Welt der Worte ist eine „starre, sprechende, tote Welt" (24), die die dynamische Fülle des Lebens verbirgt. „Zwischen zwei Worten raucht ein Abgrund." (68) Die Worte reichen nicht aus, um die Komplexität der Dinge zu erfassen; sie bleiben vordergründig. Da sie wie Vorhänge vor den unergründlichen Dingen hängen, kann sie das Leben – ebenso wie den Zufall – zu Täuschung und Schein mißbrauchen.[2]

Der Zufall hat Johannes seine Freundin zugeführt. Aber in seinem Stolz wehrt er sich gegen das Geschehen, in dem er keine Notwendigkeit und

---

[2] Das Verhältnis zur Sprache, das hier problematisch wird, hat Döblin als Schriftsteller stark beschäftigt. Vgl. dazu die Einleitung zum *Schwarzen Vorhang*, in der er die Gefahr des Schriftstellers, dem sprachlichen Klischée zu verfallen, ironisiert. Vgl. ferner: Alfred Döblin, „Staat und Schriftsteller", In: *Aufsätze zur Literatur*, S. 55, und „Bau des epischen Werks", ebd. S. 131, wo die Eigenwilligkeit der Sprache hervorgehoben wird.

keinen Sinn erblickt, sondern nur die Willkür des Lebens. Da er sein Verhältnis zu Irene nur als Zufall versteht, sich in seinem Stolz gegen die Bindung auflehnt, die er wegen der Übermächtigkeit des Triebes doch nicht lösen kann, vergrößert sich seine Einsamkeit, die Teil seines Stolzes ist. So sagt er sich immer wieder, daß es „keine Brücken" (112)³ gibt. Auch die Vorstellung, die Menschen seien fensterlose, vereinsamte „Monaden" (93)⁴, taucht mehrfach auf. Sein Hochmut besteht darin, daß er sein Leben als sein eigenes betrachtet, so daß sich der Erzähler ihm zuwendet mit der Frage: „So wegessicher, so stark, ohnegleichen sollte mein Leben sein; was wißt ihr von meinen Hoffnungen und Wünschen? Johannes, dein Leben - ?" (53)

Der Versuch, sich von Irene zu trennen, mißlingt. Um so stärker fühlt er „die verfluchte Gewalt" (51), die ihn zwingt, bei ihr zu bleiben. So wird seine innere Situation immer verkrampfter, hoffnungsloser und verzweifelter. Zwar erkennt er immer mehr, daß nichts für sich existiert, aber gerade dieser Gedanke, aus dem Döblin später die positiven Züge seines Menschenbildes ableitet, verletzt seinen Stolz: „Jeder Ton im Liede klingt und lehnt an den andern, auch Farbe hebt sich gegen Farbe, nichts ist ohne das andere. Nichts gelöst und einsam: Verflochtenheit." (151) Die „Verflochtenheit" wird hier von Johannes durchaus negativ gesehen, da sie nicht Liebe bedeutet, sondern Kampf:

Nun faß ich aber den Sinn des Lebens. Auf Vernichtung geht es aus, willentlich in Grausamkeit und Zerstörung lacht es. Zerfleischt eins das andere, doch sättigt, sättigt sich's sterbend. Darum ist die Liebe Krone des Lebens. Wir haben nicht Arme, um uns entzückt zu umschlingen, nur uns zu wehren und zu kämpfen gegen das andere und zu töten, wir Grenzzerstörer. Jeder Kuß verfehlt einen Biß. Ah, darum schnürt sich das Leben zur Zweiheit ein, zu Mann und Weib, daß es sich aufs wildeste packt und zerreißt. (153—154)

Johannes glaubt sich so vom Leben, das Worte und Zufälle zu Schein und Täuschung mißbraucht, um seine Existenz als Individuum betrogen: „Erpreßt hat der Zufall mir mein Schicksal; einen Popanz hat man statt meiner gesehen." (152) Daher ermordet er Irene und schichtet einen Scheiterhaufen auf, um sie beide zu verbrennen. Eine große Flamme, die irrationale Macht des Lebens verkörpernd, verschlingt beide unter Hohngelächter. Das Leben, das nur durch die Vernichtung der Individuen weiterexistieren kann, löscht aus diesem Grund den Menschen aus, den es selbst hervorgebracht hat.

---

³ Vgl. auch *Der Schwarze Vorhang*, S. 160.
⁴ Vgl. auch ebd. S. 123.

Auch im *Wang-lun* ist das Schicksal starr, unbeugsam. Der Mensch versucht, es durch Nicht-Widerstreben zu besänftigen, wird aber dennoch in den Untergang getrieben. Durch das Eintauchen in den Schicksalsstrom und die anonyme Masse droht der Mensch aber andrerseits seinen Charakter als autonomes Individuum zu verlieren. So wehrt sich sein individuelles Bewußtsein gegen ein solches Schicksal. Es ist die Frage, ob dieser Prozeß im Leben jemals zum Stillstand kommt. Immer schlägt das Pendel wieder zur anderen Seite aus.

Zwischen ähnlichen Polen wie Wang-lun bewegt sich auch Johannes. Denn hinter den vordergründigen Pubertätsproblemen geht es um eine grundsätzliche Frage. Johannes sieht sich überindividuellen Kräften überantwortet, die er als bösartig ansieht, und gegen die sich sein Stolz als autonomes Individuum wehrt. Er spürt, daß etwas Überindividuelles für ihn lebt: „Ich habe nie gelebt; soll nie leben. Worte und Zufälle lebten für mich, starre Gewalten." (140) Auf der anderen Seite spürt er jedoch geradezu die Verpflichtung, sich dagegen aufzulehnen: „Er wußte, daß er sich Gewißheit holen, der dunklen Mächte erwehren müsse." (141)

Wie Wang-lun kämpfend untergeht, so behalten auch Johannes gegenüber die „starren Mächte" (132) die Oberhand. Die spätere philosophische Lösung des *Ich über der Natur*, die darin besteht, daß sich der Mensch in freier Erkenntnis in größere tragende Zusammenhänge einordnet, die ihn nicht zur Aufgabe seiner Individualität zwingen, sondern diese gerade als notwendig erscheinen lassen, wird zwar gelegentlich in Betracht gezogen[5], dann aber doch zurückgewiesen, weil durch ihre Annahme die Autonomie des Individuums in Frage gestellt würde.

[5] Vgl. ebd. S. 137.

4. DAS IRONISCHE SPIEL MIT DER THEMATIK VON AUFLEHNUNG UND UNTERWERFUNG IN *Wadzeks Kampf mit der Dampfturbine*

Nach dem Erscheinen seines Romans *Die drei Sprünge des Wang-lun*, für den er mit dem Fontane- und dem Kleistpreis ausgezeichnet wurde, begann Döblin den Roman *Wadzeks Kampf mit der Dampfturbine* zu schreiben, der 1918 erschien. Ursprünglich hatte er ein mehrbändiges Werk geplant. *Wadzeks Kampf mit der Dampfturbine* sollte ein Roman mit dem Titel „Kampf mit dem Ölmotor" folgen. Er habe nicht bei den schweren und finsteren Vorgängen des *Wang-lun* stehenbleiben können, schreibt Döblin im „Epilog":

> Ich mußte die Dinge weiter verfolgen. Ich wollte mich auch nicht vom Schweren und Finsteren fesseln lassen. Und da schlug ich um und geriet ohne Absicht, ja völlig gegen meinen Willen ins Lichte, Frische und Burleske.[1]

Der Hinweis, den Döblin hier auf den Zusammenhang mit der Thematik des *Wang-lun* gibt, ist bisher von keinem Interpreten aufgegriffen worden. Man hat den Roman vordergründig als Darstellung des sich durch den Kapitalismus selbst entfremdeten Menschen[2] oder als „Konkurrenzkampf der kapitalistischen Wirtschaft in seinen Auswirkungen auf die darin verwickelten Menschen"[3] verstanden. Die intensiven Studien, die Döblin wochenlang in den Werken der AEG in Berlin trieb, scheinen diese Auffassung zu bestätigen.

Doch erschließt sich der Roman mit seiner komischen, ironischen und satirischen Darstellungsweise, die sich aus dem „intellektuellen Kontrast" zwischen objektiven Gegebenheiten und deren subjektiver Interpretation durch den Helden ergibt, erst, wenn man ihn im Zusammenhang mit der allgemeinen Thematik Döblins sieht. Wie die meisten seiner anderen Figuren wird auch Wadzek durch bestimmte Ereignisse aus dem gewohnten Leben gerissen und auf den Weg zur Selbstpreisgabe geführt. Aber im Gegensatz zum *Wang-lun* wird diese Thematik ironisch umspielt, so daß zwischen *Wadzek* und *Wang-lun* ein ähnliches Verhältnis besteht wie zwischen

---

[1] Alfred Döblin, „Epilog", In: *Aufsätze zur Literatur*, S. 387.
[2] Roland Links, *Alfred Döblin*, S. 46–49.
[3] Hansjörg Elshorst, *Mensch und Umwelt im Werk Alfred Döblins*, S. 27.

Babylonische Wandrung und *Berlin Alexanderplatz;* das eine Werk ironisiert jeweils die Problematik des andern.

Der Roman setzt mit dem ersten Buch, betitelt „Die Verschwörung", im Augenblick der Krise ein. Wadzek ist mit seinen Dampfmaschinen gegenüber den Dampfturbinen seines Gegenspielers Rommel ins Hintertreffen geraten. Dieser beginnt, Aktien und Wechsel von Wadzeks Fabrik aufzukaufen. Wadzek, der sich mit einem Ingenieur Rommels mit Namen Schneemann (!) verbündet hat, versucht teils auf privatem Wege, teils durch illegale Machenschaften, das Verhängnis aufzuhalten.

Diesem für eine melodramatische Familientragödie gut geeigneten Stoff gibt der Erzähler durch einen Kunstgriff eine Wendung ins Groteske. Wadzek – und unter seinem Einfluß auch Schneemann – beginnen sich nämlich als Vorkämpfer für die Freiheit des Individuums gegen die Unterdrückung von seiten Rommels und seiner Kreise zu fühlen. Hierdurch wird das eigentliche Geschehen, das Sich-Auflehnen, das Widerstreben gegen das Schicksal, das in diesem Fall als unaufhaltsamer technischer Fortschritt erscheint, grotesk übersteigert, so daß es nicht mehr tragisch, sondern nur noch komisch wirkt.

Wadzek und Schneemann treiben sich gegenseitig in ein revolutionäres Pathos, das in krassem Widerspruch zu der konkreten Situation und ihren Erfordernissen steht. Sie fühlen sich wie Verschwörer, die zum Wohle der Menschheit eine Revolution anzetteln wollen:[4] „Wadzek drängte heiser: ‚Sind Sie mein Mitkämpfer? Ohne Barrikaden, wenn der Sturm losbricht, mit offener Brust stehen wir da.'" (33) Von seiner wachsenden Erregung wird auch Schneemann mitgerissen: „Ihm öffneten sich Perspektiven; er sah sich als Fahnenträger im Streit gegen Rommel, vorn in der ersten Reihe, Ritter Georg." (37)

Das Ereignis, das ihn hätte lehren sollen, wie klein der Mensch und wie schwach seine Stellung ist, treibt seinen Stolz und seinen Hochmut – die für Döblin verdammenswertesten Schwächen – zum äußersten. Wie später Franz Biberkopf in *Berlin Alexanderplatz* so behauptet auch Wadzek von sich: „‚An mich kommt keiner heran'" (26) – charakteristischer Ausdruck seines übersteigerten Selbstgefühls.

Wadzeks Anklage gegen Rommel weitet sich zu umfassender Zeitkritik: „‚Es ist nichts Konstruktives, Logisches in dieser Zeit.'" (91) So beschließt er mit Schneemann, Verbrecher zu werden, ein zweiter Kohlhaas, vielleicht

---

[4] Der Verdacht liegt nahe, daß Döblin hier das Oh-Mensch-Pathos vieler Expressionisten ironisieren wollte.

eine Reminiszenz an Döblins Lieblingsautor Kleist. Er will sich mit Frau und Tochter und mit Schneemann in sein Reinickendorfer Wochenendhaus zurückziehen:

> Dort wollte er sich einsperren, eventuell mit Frau und Kind, und — sich weigern, sich weigern. Das war sein Ausdruck. Auf die Spitze wollte er es treiben, sagte er mit verzweifeltem Ausdruck, schäumend, damit es der ganzen Welt offenbar würde. Einen Affront dieser ganzen Welt erweisen. (91—92)

Diese Haltung, das Schicksal nicht demütig anzunehmen, sondern sich dagegen zu wehren, strebt im zweiten Buch („Die Belagerung von Reinikkendorf") einem neuen grotesk-komischen Höhepunkt zu, über den hinaus es allerdings keine weitere Steigerung mehr gibt. Das Wochenendhaus wird zu einer Festung. Alarmanlagen werden installiert, Wachen eingerichtet, und es kommt dauernd zu grotesken Mißverständnissen, die durch die Verschwörer-Haltung hervorgerufen werden. Eine ehemalige Portiersfrau Wadzeks versorgt sie täglich unter abenteuerlichen Vorsichtsmaßregeln mit Proviant. Als sich eines Tages ihr halbwüchsiger Sohn dem Garten nähert, sieht Wadzek in ihm nur einen Feind, der mit Rommel in Verbindung steht. Die Groteske erreicht einen neuen Kulminationspunkt, als Wadzek sich immer mehr in die Rolle des von der Welt Verkannten und ungerecht Behandelten hineinsteigert, so daß er die Vorgänge der Wirklichkeit dauernd mißdeutet. Er ignoriert die sachlichen Erklärungen des Jungen, die er seinen Voraussetzungen entsprechend als Lüge „durchschaut". Seine hybride Selbstüberschätzung, die doch nur auf der Illusion beruht, daß sein Untergang als Märtyrer des freien Menschentums zu einem Fanal für eine allgemeine Revolution werden würde, führt dazu, daß Wadzek auch die banalste Situation mißversteht. Die Auflehnung gegen das Schicksal, im *Wang-lun* als eine extreme Möglichkeit menschlichen Verhaltens gedeutet, wird hier in immer neuen Episoden ironisiert.

Als Wadzek auf die in seinen Garten eingedrungenen Vogelsteller schießt –in der Meinung, Rommel sei nun zum Gegenangriff übergegangen –, beendet die Polizei die „Belagerung". Auf dem Polizeirevier glaubt Wadzek, seine selbstgewählte Märtyrerrolle zuende spielen zu können. Er ist der Überzeugung, im Garten einen seiner Gegenspieler, wenn nicht gar Rommel selbst, erschossen zu haben. Vergeblich verlangt er, die Leiche zu sehen und unter Mordanklage gestellt zu werden. Den Beamten sind diese Reden natürlich völlig unverständlich; sie halten ihre Gefangenen für betrunken. Aber Wadzek sieht darin, der wahnsinnigen Logik seiner Vorstellungen folgend, nur einen besonders gemeinen Weg der Gegner, sie mundtot zu machen. Die Welt nimmt von ihrem Schicksal keine Kenntnis, für Wadzek die größte Schmach, die ihm widerfahren konnte. Es bleibt ihm nichts anderes übrig, als nach Hause zurückzukehren, „zu Boden geschlagen und zerschmettert" (219), wie das dritte Buch betitelt ist.

Nachdem er so jäh und auf so demütigende Weise seiner Illusion beraubt wurde, wandelt er sich zum treu sorgenden Familienvater. Aber auch die neu erwachte Liebe zu seiner Frau, einem Monstrum, ist für ihn nur ein neues „Illusionsgerüst"[5]. Denn diese, durch die Ehe mit Wadzek bisher völlig unterdrückt, erfährt so eine späte Rehabilitierung und benutzt ihre neu gewonnene Freiheit zu Trinkgelagen mit zweifelhaften Freundinnen. Wadzek wird Zeuge einer widerlichen Orgie in seiner eigenen Wohnung und zieht nach dieser erneuten Desillusionierung ins Hotel.

Doch schon vorher beginnt sich die für alle Helden Döblins charakteristische Wandlung in ihm zu vollziehen. Er geht den Weg von der Auflehnung in die Resignation und Unterwerfung unter den unvermeidlichen Gang der Ereignisse. Aber die Erkenntnis der Notwendigkeit, sich in überindividuelle Vorgänge einfügen zu müssen, wird durch die ironische Darstellungsweise in Frage gestellt. Er doziert vor seiner Frau, die meistens schläft, und seiner Tochter Herta, die ihn durch exakte Zwischenfragen stört. Er sieht ein, daß nicht der einzelne wichtig ist, sondern das Zusammenwirken aller. Am Beispiel eines Dampfers mit seiner Besatzung erläutert er seine Erkenntnisse:

Der Steuermann ist wichtig, der Heizer ist wichtig, der Passagier ist wichtig, das Schiff ist wichtig, der Reeder ist wichtig. Wie gesagt, man muß nichts vernachlässigen. Geringschätzung rächt sich. Das ist unbestreitbar. Größenwahn, — nun, der Name sagt schon alles. Für den einzelnen Menschen aber ist notwendig, beweglich zu sein, das heißt, behend an seinen Ort zu klettern.
Herta unterbrach: dann sei der Schuhputzer in dem Schiff auch wichtig. Nicht nur der, sagte Wadzek eindringlich, sondern auch seine Frau, die gar nicht auf dem Schiff fährt, sondern zu Hause Linsen mit Speck kocht, ihre Kinder wäscht, sie trocken legt und so weiter. ... Wadzek rauchte, ohne zu sprechen, weiter. Er äußerte, ohne den Ausdruck verändert zu haben, Hauptsache sei der Zusammenhang; auch das Wasser ist für das Schiff von Wichtigkeit, auf dem es fährt, der Wind. Es sind schwierige Überlegungen, er sei mit ihnen noch nicht ganz fertig. Der Grundfehler sei jedenfalls die Beharrlichkeit, absolut Heizer zu sein und nicht auf das Ganze zu sehen. Der Eigensinn, genauer der

[5] Elshorst, S. 25.

eigene Sinn und das Verstocktsein, die Verbohrtheit. Das sei das Dumme. Lavieren! Lavieren rechts, lavieren links! (289–290)

Durch die Wahl seiner Beispiele und die Konsequenz bei deren Verfolgung führt Wadzek seine richtigen Erkenntnisse selbst ad absurdum. Er gesteht ein, daß seine Ideen, die er früher vertreten hat, überholt sind, daß sich der technische Fortschritt, die Dampfturbine, nicht aufhalten läßt. Das Lavieren und die Anpassung an die immer wechselnde Situation wird von Wadzek zum Lebensprinzip erhoben, aber für den Leser durch die Darstellungsweise gleich wieder in ein ironisches Licht gerückt:

> Bodenständig: das ist ein falsches Lob. Wäre ich adlig, so würde ich die Wetterfahne in mein Wappen aufnehmen. Das Anpassungsprinzip ist das wichtigste; man muß sich erneuern. (375–376)[6]

Symptomatisch für die Wandlung Wadzeks ist das Spiegelmotiv, das wegen seines häufigen Auftretens im zweiten Teil des Romans als Leitmotiv bezeichnet werden darf.[7] Es hat die verschiedensten Deutungen erfahren. Als Wadzek aus Reinickendorf zurückkehrt, zerschlägt er den großen Spiegel im Schlafzimmerschrank und sammelt die Scherben in ein schwarzes Tuch, das er zunächst in einer Schublade verbirgt. Immer wieder tauchen Scherben dieses Spiegels auf. Das letzte Stück nimmt Gaby, mit der Wadzek am Ende des Romans schließlich nach Amerika flieht, an sich. Martini deutet dieses Zerschlagen des Spiegels als symbolischen Selbstmord Wadzeks.[8] Für Links drückt sich in diesem Vorgang sehr vage die Unfähigkeit Wadzeks aus, das Leben zu meistern, dazu das Fragmentarische der menschlichen Existenz schlechthin, denn „das unversehrte Spiegelbild ist eine Lüge"[9]. In dem hier entwickelten Zusammenhang muß dieses Motiv anders gedeutet werden. Im Spiegel sieht Wadzek immer nur sich selbst. Das Zerschlagen des Spiegels bedeutet also den Versuch, seinem Ich zu entrinnen. Aber es zieht ihn immer wieder zu den Scherben. Ohne Illusion kann er doch nicht existieren. So fragt er Gaby im Zug, der sie zum Schiff bringt, ob sie die Spiegelscherbe habe – ein Hinweis darauf, daß sich das Leben in Amerika als neue Illusion entpuppen könnte.

---

[6] Es sei noch einmal nachdrücklich auf die zentrale Bedeutung hingewiesen, die dem Prinzip der Angleichung oder Anpassung in *Das Ich über der Natur* zukommt. Vgl. dort vor allem S. 33, 48, 55, 200.

[7] Vgl. *Wadzeks Kampf mit der Dampfturbine* (Berlin, 1918), S. 236, 237, 248, 278, 364, 365, 366, 381, 382, 392.

[8] Fritz Martini, „Alfred Döblin", S. 333.

[9] Links, S. 48.

Wie sehr Wadzek jetzt sein eigenes „heroisches" Widerstreben gegen das Schicksal verwirft, zeigen seine Ausführungen Gaby gegenüber. Er erzählt ihr von Hertas Theaterbesuch und teilt ihr seine Meinung über den Helden mit:

> „Was lernt ein Kind wie Herta von Macbeth? Ich kenne das Stück nicht mehr genau; aber sie redet sich sicher ein, es sei etwas Gutes, solcher Art zu sein. Oder sich nicht von seinem Vorsatz abbringen zu lassen. Mitten durch, gerade durch. Und dann Geheul. Applaus über den tragischen Charakter. Schlängeln ist viel wichtiger. ...
> Odysseus ist wichtiger als Achilles oder Herkules. Wenn Achilles nicht bei Troja gefallen wäre, wäre er unterwegs umgekommen; der Mann hätte nicht nach Hause gefunden wie Odysseus. Was nutzt Heldentum?" (377–378)

Döblin spielt hier mit den Erkenntnissen des *Wang-lun*. Denn Wadzeks Einsicht in die Notwendigkeit, sich anzupassen und sich in allgemeine Zusammenhänge einzuordnen, wird ebenso ironisiert, wie vorher seine groteske Auflehnung gegen den Fortschritt der Technik und dessen Auswirkungen. Während Wadzek jedoch im ersten Teil zur komisch-grotesken Figur gesteigert wird, gewinnt er in den letzten zwei Büchern durch seine Wandlung menschliches Maß zurück.

Gaby, mit der Wadzek schließlich auf einem turbinengetriebenen Schiff (!) nach Amerika flieht, ist zu allen die positive Gegenfigur. Wadzek hat die auf die schiefe Bahn Geratene einst aufgelesen; sie wird Rommels Geliebte. Aber sie verläßt Rommel in dem Augenblick, als dieser sich weigert, Wadzek zu helfen. In ihrer weiblichen Nachgiebigkeit und mütterlichen Fürsorglichkeit paßt sie sich überall an. Der Besuch bei der Zigeunerin zeigt ihre Hilfsbereitschaft, ihre Menschlichkeit, aber auch die für Döblin typische Neigung zu den Armen, den vom Schicksal Getretenen. So ist es von tieferer Bedeutung, wenn Wadzek gerade mit ihr flieht. Gaby, wie immer bereit, sich hinzugeben, wartet zunächst vergebens auf seine Annäherung. Erst nachdem er fühlt, daß auch der letzte Rest von Empörung gegen sein Schicksal gewichen ist, kann er zu ihr in engere Beziehung treten. Aber auch diese letzte Szene wird ironisch aufgelöst, wodurch Döblin mit Erfolg versuchte, der Gefahr eines idyllischen Happy-End zu entgehen.

Auch diesem Roman liegt also die Grundthematik Döblins von der Sinnlosigkeit der Auflehnung und der Notwendigkeit eines demütigen Sich-Fügens zugrunde. Allerdings werden, wie wir sahen, beide Positionen ironisch umspielt und damit in Frage gestellt. Im *Wallenstein* dagegen behält die tragische Resignation wieder die Oberhand.

5. MACHT UND OHNMACHT IN *Wallenstein*

In seinem Roman *Wallenstein*, der 1916–1918 konzipiert und 1920 erstmalig in zwei Bänden veröffentlicht wurde, ging es Döblin nicht darum,
den „Krieg als solchen . . . fühlbar, sichtbar, erlebbar" zu machen, wie
Minder gemeint hat.[1] Döblin selbst hat einer solchen Auffassung wider-
sprochen.[2] Er sah weniger in Wallenstein als in Ferdinand die zentrale Figur
des Romans: „Das Buch müßte eigentlich heißen ‚Ferdinand der Andere'. Ich
wußte es. Aber Wallenstein bezeichnet die Zeit und die Umstände."[3] Nicht
zuletzt dieser Hinweis Döblins rechtfertigt eine Interpretation, die sich vor
allem an den beiden Hauptfiguren des großen Krieges orientiert.

Schon Walter Muschg hat den Zusammenhang zwischen der Thematik
des *Wang-lun* und der des *Wallenstein* richtig erkannt:

> Und als Thema des Buches stellt sich immer mehr der Gegensatz zwischen
> diesen beiden ins Mythische gesteigerten Gestalten heraus: zwischen Handeln
> und Nichthandeln, Härte und Weichheit, Erobern und Schenken — in extremer
> Spannung noch einmal das Thema des Wang-lun.[4]

Zum Helden Döblins wird Ferdinand dadurch, daß er den typischen Prozeß
von der Auflehnung gegen das Schicksal in die Selbstpreisgabe durchläuft.
Döblin setzte Ferdinand nach seinen eigenen Worten „ins Gespräch mit den
allmächtigen Fakten. Er antwortet auf den Donner. Ergebnis? Er gibt es
auf."[5]

„Döblins epischer Aufriß, — denn einen geschlossenen, wohlausgewogenen
Roman kann man den Wallenstein nicht nennen, —"[6] umfaßt etwa die Zeit
von der Schlacht am Weißen Berge (1620) bis zur Ermordung Wallensteins
(1634), die im Roman zeitlich ungefähr mit dem Tod Ferdinands zusammenfällt, was historisch unrichtig ist, denn der Kaiser starb erst 1637. Döblin
scheint sich jedoch im allgemeinen an die politischen und militärischen Ereig-

---

[1] Robert Minder, „Alfred Döblin", In: *Deutsche Literatur des XX. Jahrhunderts*, ed.
Hermann Friedmann und Otto Mann (Heidelberg, ⁴1961), S. 148.
[2] Alfred Döblin, „Der Epiker, sein Stoff und die Kritik", In: *Aufsätze zur Literatur*,
S. 339–345.
[3] Alfred Döblin, „Epilog", S. 387.
[4] Walter Muschg, „Ein Flüchtling, Alfred Döblins Bekehrung", In: Muschg, *Die Zerstörung der deutschen Literatur* (München, o. J.), S. 93 (= List Bücher 156).
[5] Alfred Döblin, „Epilog", S. 388.
[6] Günter Grass, „Über meinen Lehrer Döblin", In: *Akzente* IV (1967), S. 304.

nisse des Krieges gehalten zu haben. Eine genaue Untersuchung darüber steht allerdings noch aus.

Die Erfahrung der Sinnlosigkeit des Machtstrebens, des politischen Handelns, ja der menschlichen Existenz schlechthin, bestimmt den Grundtenor des Buches, in dem alle Figuren zum Scheitern verurteilt sind. Die innere Affinität zwischen Döblins grundsätzlichem Zweifel an der Individualität und Personalität des Menschen und der Vanitasstimmung des Dreißigjährigen Krieges, welche ja die des Ersten Weltkrieges spiegelt, geht aus einem Brief hervor, den Döblin an Herwarth Walden schrieb, nachdem August Stramm in Rußland gefallen war (21. Sept. 1915): „Unser Dasein ist abrupt. Es kommt wie es scheint auf gar nichts an, auf gar nichts."[7]

Der Roman beginnt mit einem Bankett zur Feier des Sieges, den die katholische Liga unter der Führung Maximilians von Bayern über die Protestanten errungen hat. Es besteht Hoffnung auf Frieden – eine trügerische Hoffnung, wie sich bald zeigen wird, denn der Sieg birgt den Keim eines neuen Konfliktes in sich. Der stolze, ehrgeizige und machthungrige Wittelsbacher erhebt nämlich Anspruch auf Länder und Kurwürde des geächteten böhmischen Winterkönigs Friedrich von der Pfalz. Bekommt er sie, verschiebt sich das prekäre Gleichgewicht im Reich zugunsten des Bayern, der damit selbst Habsburg gefährlich wird, und zugunsten der katholischen Kurfürsten. Die Räte Ferdinands sehen diese Verwicklungen klar voraus: das Wiederaufleben des Krieges und den Kriegseintritt der protestantischen Mächte England und Dänemark. Doch die Entscheidung hängt allein von Ferdinand ab; dessen Haltung aber schwankt. Seine kaiserliche Würde scheint ihm zu gebieten, Maximilian, der allein die Last des Krieges auf sich genommen hatte, die Kurwürde zu übertragen. (Bereits hier wird deutlich, daß „Ferdinand der Andere", wie Döblin ihn nennt, sein Kaisertum vor allem auch als geistlich-moralische Macht versteht, die allein die Integrität seiner Stellung garantiert.) Auf der anderen Seite aber versucht er, durch Briefe an den englischen Gesandten, eine Machterweiterung des Bayern zu verhindern. Nicht zum ersten Mal erwacht in dem Kaiser, der hier bereits das Intrigenspiel des Hofes und den sinnlosen Mechanismus des politischen Machtringens zu durchschauen beginnt, der Wunsch, sich zurückzuziehen. Schon früh wird seine Neigung deutlich, „Schwierigkeiten durch die Flucht zu entgehen" (628). Seine Kindlichkeit und das Befremdliche seines Benehmens bleiben dem Hofe nicht verborgen. Um ihn zu retten,

---

[7] Zit. nach: *Expressionismus*, Sonderausstellung des Schiller-Nationalmuseums, Katalog Nr. 7 (1960), S. 154–155.

will man ihn entführen. Zwar widersetzt sich der Kaiser diesem Plan, doch fühlt er sich tief im Innern entlarvt.

Sein Wunsch, abzudanken, wird noch verstärkt durch die neuerlichen Erfolge des Liga-Heeres über Ernst von Mansfeld und Christian von Halberstadt, die Parteigänger der Protestanten, und den damit verbundenen Machtzuwachs seines Schwagers Maximilian, durch den seine eigene Position immer mehr geschwächt und seine Hoffnung auf Frieden erneut enttäuscht wird.

In Ferdinand tobt derselbe Widerstreit wie in Khien-lung, nur wird er hier anders entschieden. Wie Khien-lung ist Ferdinand von einem großen Machtbewußtsein erfüllt, wobei man die geistlich-moralische Komponente dieser Macht nie außer acht lassen darf, gleichzeitig aber erkennt er ihre Kleinheit und Eitelkeit. Kaiserlicher Gerechtigkeitssinn und politische Klugheit verlangen, daß er dem Pfälzer gegenüber Nachsicht übt; aber Maximilian hat er sein Wort verpfändet. Es gibt keine eindeutige Lösung für diesen Konflikt, in dem sich politische und moralische Faktoren überkreuzen.

Immer wieder kommt so die Ambivalenz seiner Stellung und seines Wesens zum Ausdruck. Einerseits erhebt er den Anspruch, dank seiner kaiserlichen Stellung alles ordnen zu können, andrerseits aber durchdringt ihn immer wieder das Gefühl seiner völligen Hilflosigkeit, aus dem seine Bereitschaft entspringt, sich zu opfern und einem Stärkeren den Thron zu überlassen. Er kann seine machtpolitische und geistlich-moralische Stellung über den Parteien gar nicht behaupten, weil er immer wieder in die sich widerstreitenden Interessen hereingezogen wird und sich in der verwirrenden Fülle der an ihn herantretenden Ansprüche nicht mehr zurechtfindet. Aber noch ist er nicht fähig, aus diesem inneren Widerstreit zwischen Machtlosigkeit und Machtfülle die letzte Konsequenz zu ziehen. Da man ihn nicht beseitigt, wonach er manchmal geradezu sehnsüchtig verlangt, muß er die von ihm erwartete politische Entscheidung treffen. Er belehnt Maximilian, denn er hat sein „kaiserliches Wort hingegeben" (138).

Während der Kaiser um diesen politisch äußerst wichtigen Entschluß ringt, schlägt im besiegten Böhmen die Stunde Wallensteins. Mit einer Brutalität und einer grausamen Konsequenz ohnegleichen, vor Verrat, Betrug und Erpressung nicht zurückschreckend, hat er ein ungeheures Vermögen zusammengerafft. In seiner fiebrigen, rastlosen Aktivität ist er ein Gegenbild zu dem in immer größerer Passivität versinkenden Kaiser Ferdinand dem Anderen. Wallenstein erkennt „nichts an als Gewalt" (231), er ist „ein nackter Leib der Gewalt, schamlos wie ein Säugling" (292):

Friedland kannte von jeh nur das Spiel, dessen Drang wuchs mit der Größe der Einsätze; er kannte nur umsetzen, umwälzen, kannte keinen Besitz. Er war nur die Gewalt, die das Feste flüssig macht. Er schauderte und zerbiß sich, wie sich ihm etwas Festes entgegenstellte. (374)

Damit gewinnt Wallenstein, wenngleich in ganz anderem Ausmaß, eine ähnliche Bedeutung wie der stotternde Reinhold in *Berlin Alexanderplatz* oder modifiziert auch Georg in *Babylonische Wandrung*. Reinhold wird als „die kalte Gewalt . . ., an der sich nichts in diesem Dasein verändert", gekennzeichnet.[8] Aber ebenso wie er eine rätselhafte Anziehungskraft für Biberkopf behält, und wie es Konrad immer wieder zu Georg treibt, so ist auch Ferdinand von Wallenstein fasziniert.

Als der Kaiser den mächtigen Emporkömmling empfängt, hat er ein Traumgesicht, in dem sich während eines Rittes ein haariger Tausendfuß über ihn schiebt. Diese Vision Ferdinands ist mehr als der Ausdruck einer momentanen Lebensangst. Noch zweimal nämlich taucht dieser Traum als Erinnerung wieder auf: das erste Mal bei der zweiten Audienz, die der Kaiser Wallenstein gewährt, dann noch einmal in einem Gespräch über Friedland zwischen Ferdinand, seinem Beichtvater Lamormain und der Kaiserin Eleonore.[9] Nicht zufällig überkommen Ferdinand diese Traumgesichte gerade im Zusammenhang mit dem General, denn in ihnen drückt sich das Walten brutaler, irrationaler Lebensmächte aus, die über den einzelnen hinwegschreiten, und die sich in Wallenstein verkörpern. Den Schlüssel zu diesem Bild gibt erst die „Zuneigung" zu *Berge Meere und Giganten*:

> Die dunkle rollende tosende Gewalt. Ihr dunklen rasenden, ineinander verschränkten, ihr sanften wonnigen kaum ausdenkbar schönen, kaum ertragbar schweren nicht anhaltenden Gewalten. Zitternder greifender flirrender Tausendfuß Tausendgeist Tausendkopf. Was habt ihr mit mir vor. Was bin ich in euch.[10]

Während hier diese Urkräfte gleichzeitig als böse und gut aufgefaßt werden, in sich wertindifferent sind, wird Wallenstein eindeutig als die unbarmherzige, zerstörende Kraft dargestellt. Weil sich die bösen, destruktiven Urgewalten in ihnen verkörpern, werden Maximilian, Tilly und besonders Wallenstein als Tiere gezeigt, während Ferdinand der Andere häufig als Kind bezeichnet wird. Charakteristisch ist, daß Ferdinand in dem Augen-

[8] *Berlin Alexanderplatz*, S. 456.
[9] Vgl. *Wallenstein*, S. 564 bzw. 632–633.
[10] *Berge Meere und Giganten*, S. 7.

blick, als er endgültig sein Kaisertum fahren läßt und sich den Banden anschließt, träumend nichts mehr von dem Tausendfuß verspürt: „Er sah auf, kein Tausendfuß, kein ekler Bauch war über ihm." (699) Jetzt, da Ferdinand sich seines Selbst entledigt, sich preisgibt, verspürt er nichts mehr von der zerstörenden Gewalt der Urkräfte, denen er sich überläßt, indem er sich aufgibt.

Doch noch ist Ferdinand nicht so weit, noch ist sein immer wieder durchbrechendes Machtbewußtsein größer als das Gefühl seiner Ohnmacht. Wallenstein bietet ihm an, eine ganze Armee für ihn aufzustellen und sie von den Reichslanden ernähren zu lassen. Da er bereits vorher Maximilian ein ähnliches Angebot unterbreitet hat, wird deutlich, daß es ihm nicht um die Sicherung der kaiserlichen Herrschaft geht, sondern einzig um die entscheidende Machtposition im Reich. Als er später sieht, daß er sich auf den Kaiser nicht mehr verlassen kann, verhandelt er mit allen anderen Parteien, um gegebenenfalls sogar mit ihnen gegen Ferdinand Krieg zu führen. Religiöse Gründe spielen offenbar keine Rolle: für die angeworbenen Protestanten zahlt er doppelte Prämien.

Weil das Angebot Wallensteins dem Kaiser die Möglichkeit gibt, den Machthunger seines Rivalen Maximilian zu dämpfen, nimmt er es an. Aber wieder zeigt Ferdinand der Andere in diesem bedeutsamen Augenblick sein Doppelgesicht. Das Bewußtsein seiner neugewonnenen Macht, die er jetzt gleichsam an Wallenstein delegiert hat, entgleitet ihm:

Bisweilen dachte er nicht mehr an Maximilian, dem er die geballte Faust hinstrecken wollte; er hatte urplötzlich den Eindruck, den Faden seines Handelns zu verlieren; fühlte mit einer unklaren Freude, daß er dem Böhmen in einer Weise und mit rätselhaftem Drang vertraue, wie bisher keinem Menschen, wie vielleicht eine Frau ihrem Mann vertraute. (223)

Wallensteins Position wird stärker durch militärische Erfolge und geschickte diplomatische Schachzüge. Als die Klagen über die Greuel seiner Kriegsführung sich häufen, sieht der Kaiser immer deutlicher, welch schrecklicher Gewalt er sich ausgeliefert hat, um sein Haus zu erhalten. Alle Vorgänge führen Ferdinand nur immer klarer seine zwiespältige Situation vor Augen: die Notwendigkeit von Macht und Gewalt auf der einen – der Ekel vor ihnen auf der anderen Seite. Abermals sieht er sich durch die Umstände genötigt, bei Wallenstein Hilfe zu suchen, dessen zynische und brutale Pläne ihm doch Angst, Grauen und Ekel einflößen, so daß er sich von ihm befreien und ihn entlassen will. Aber unter dem Einfluß seines Hofes, besonders Kollaltos, wird der Kaiser wieder schwankend in seinem Entschluß:

Öfter wollte Ferdinand in einer aufsteigenden Trostlosigkeit, einer ihn durchziehenden dumpfen Verzweiflung bitten, man möchte von diesen Reden lassen, er sei der Schützer, der Mehrer des Reiches, dann trompetete es: „Der Römische Kaiser, die Herrschaft über das Reich, der gerechte Friede", er legte den Degengriff an seinen Mund, fühlte die Kühle. (269)

Resigniert sagt er nach dieser Auseinandersetzung zur Kaiserin: „Es ist schwer für mich. Es hat etwas – Unertragbares für mich. Zu viel Eleonore." (270)

Wieder rüstet Wallenstein, wieder schreitet er von Erfolg zu Erfolg; „in der schauerlichen Konsequenz seines Handelns" (304) will er eine Militärdiktatur über dem Reich errichten. Nach Siegen über den Dänenkönig Christian erreicht er das Meer. Der Höhepunkt aber ist gleichzeitig der Wendepunkt. Er kann die von ihm belagerte Stadt Stralsund, die vom Meer her unterstützt wird, nicht einnehmen. Es muß für Döblin von symbolischer Bedeutung gewesen sein, daß Wallenstein am Meer scheitert, denn gerade das Element des Wassers wurde ihm zum Sinnbild eines bestimmten Lebensverhaltens, das dem Wallensteins diametral entgegengesetzt ist. Im *Wang-lun* heißt es: „Wie das weiße Wasser schwach und folgsam sein."[11] Mit dem Meer begegnet Wallenstein eine Macht, die sich ihm entzieht, da sie nicht das Feste ist, das er zerschlagen kann: „Gegen sein neues Herzogtum Mecklenburg schwankte das zerquellende widerstandslose Element an, er beobachtete es widerwillig." (317) Das Meer wird für ihn „das Verhängnis" (375).

Obwohl der Kaiser „diese grausige Maschinerie Wallenstein" (352) in Bewegung gesetzt hat, fühlt er sich immer mehr als „ein Werkzeug des Allmächtigen" (354), was auch nur eine Station auf dem Weg zur Selbstpreisgabe ist. Als er vom Papst gedrängt wird, die protestantischen Stifte Norddeutschlands wieder in katholische Hände zu geben – ein Plan, den Wallenstein ablehnt – fühlt er wieder die Versuchung in sich, aufzugeben. Denn wiederum sieht er sich Problemen gegenüber, die unlösbar für ihn sind. Die Enteignung des protestantischen Besitzes erscheint ihm ungerecht, nicht zu vereinbaren mit der kaiserlichen Würde.

Wie oft in solchen Situationen entweicht er zu seinem Jagdschloß in Wolkersdorf. Die äußere Distanz zu den politischen Ereignissen in Wien wird zum Ausdruck seiner inneren Distanzierung, des Abscheus und des Ekels gegenüber dem nie endenwollenden Tauziehen um die Macht und dem

[11] *Wang-lun*, S. 80.

Ringen um politische Entschlüsse, die doch den lang ersehnten Frieden nicht herbeiführen wollen:

> Und so hatte sich Ferdinand in der Tat in einem Zustand unbezwinglichen Grolls, zwangsartig sich steigernden Abscheus, dazu auch einer Furcht sich entschlossen: wegzugehen von Wien, in Wolkersdorf sich einzuschließen und nicht zuzugeben, wie er von dem Wege der Kaiserlichkeit, auf dem er ging, abgedrängt würde. Er kniff die Augen zu, spie: er wollte sie alle nicht. Er suchte instinktiv die Verdunkelung wieder, in der er sich befunden hatte; in dieser Dunkelheit ging sein Weg. Er sträubte sich gleichermaßen gegen den Nuntius, wie gegen seine Räte, wie gegen dieses Wien überhaupt, diese Dichtigkeit der Häuser um ihn, dieses Zudringen und Bedrängen, diese Stimmen an allen Seiten der Burg. (364)

Doch erneut gibt er schließlich nach. Er beugt sich dem Anspruch der Kirche wie dem eindringlichen Zureden seiner streng katholischen Gemahlin. Durch diesen Entschluß glaubt er gleichzeitig, sich über den Machtmenschen Wallenstein erhoben zu haben:

> Es dünkte ihm ein Glück, Vogt und Schwert der Kirche zu sein. Und einen Triumph empfand er über Wallenstein: er hatte sich über ihn erhoben, hatte ihn besiegt. Wallenstein war das Blinde, Mechanische, das Schwert; der Herzog verstand nicht, daß es noch etwas anderes gab als die Unterwerfung von Ländern. Er war Meister über ihn. (369)

Obwohl er durch diese Entscheidung nur wieder die Gegenkräfte auf den Plan ruft, so daß der Krieg fortgesetzt wird, den er doch gerade beenden möchte, ruht der Kaiser – hier wieder in das andere Extrem verfallend – in „einem fast unirdischen Machtgefühl" (382). Die Tatsache, „daß er gesiegt hatte über die Rebellen, in Böhmen, Süddeutschland, Niedersachsen, Dänemark, war der Pfeiler seines Fühlens, seiner kaiserlichen Erhabenheit" (382). Er ist „versteift in seine Majestät" (383). Doch nie, so groß seine Macht auch wird – und sie ist gerade jetzt am größten – verläßt ihn ganz das Gefühl ihrer Eitelkeit, ein Gefühl, das schließlich in ihm siegt, so daß er sich der Macht entledigt.

Durch das Restitutionsedikt scheint der Krieg beendet, aber er bricht an anderer Stelle und aus anderen Gründen wieder aus. Durch die Erfolge in Mantua sieht der Kaiser sein Haus aufs neue gesegnet, und er äußert jetzt den Wunsch, seinen Sohn Ferdinand zum Römischen König krönen zu lassen, wofür er die Zustimmung der Kurfürsten benötigt. Diese werden jedoch nur unter einer Bedingung zustimmen: Wallenstein muß abgesetzt werden. Wieder ist der Kaiser vor eine eminent politische Entscheidung gestellt, und wieder wird er nachgeben. Wallenstein, der seine Truppen in Memmingen zusammengezogen hat, macht den Kaiser darauf aufmerksam, daß sie zu seiner Verfügung stehen. Aber wenn Ferdinand Wallenstein gegen die Fürsten ausspielt, so bedeutet das ein Zerbrechen des alten Reichsgefüges. Ferdinand jedoch, „Kaiser durch Wallenstein" (438), steht bereits jenseits dieser politischen Überlegungen. Zwar liegt die Entscheidung in seiner Hand, aber wie immer sie auch ausfällt, — sie wird nur neue Komplikationen heraufbeschwören. Daß er bereit ist, den Entschluß von einem Zufall abhängig zu machen, zeigt, daß mit seiner Macht auch seine Gleichgültigkeit und sein Abscheu gewachsen sind. Es ist letztlich bedeutungslos, daß er sich unter dem Einfluß seines Beichtvaters Lamormain gegen Wallenstein entscheidet und ihn entläßt.

Wieder besteht Aussicht auf Frieden, doch wieder trügt die Hoffnung, denn mit Schweden ist bereits eine neue Partei in den Krieg eingetreten. Tilly erleidet bei Breitenfeld eine vernichtende Niederlage; das eben erst unterworfene Norddeutschland muß wieder aufgegeben werden. Während dieser Umschwung die kaiserlichen Räte in tiefe Verzweiflung stürzt, bleibt Ferdinand ruhig: „. . . wir müssen uns fügen und nachdenken, wie alles zusammenhängt." (520) Auf seinen Rat hin wird Wallenstein, „unser Schwert" (521), wiedergeholt. Während der Herzog abermals in Plänen und Unternehmungen schwelgt, denkt der gleichmütige Kaiser, der bezeichnenderweise in dieser Audienz schweigt, über die Notwendigkeit solcher Machtmenschen nach:

Man braucht solche Menschen hier. Sache des Kaisers ist es, sie zu belohnen. Sie hungern zu lassen und zu füttern, je nach den Umständen, um sie desto willfähriger zu haben. Das ist das Geschäft des Kaisers. Die Aufgabe der Krone. Es ist in allen Ländern so. Man verliert die Krone ohne dies Spiel. Man sollte vielleicht diese Menschen auf den Thron lassen, das wäre das Richtigste, das Glatteste. (564—565)

Nicht zum ersten Mal taucht hier in Ferdinand der Gedanke auf, einem Stärkeren Platz zu machen. Bereits während seiner früheren Auseinandersetzung mit Maximilian hatte der Kaiser bemerkt: „Er hätte es verdient, statt meiner auf dem kaiserlichen Stuhl zu sitzen.'" (41) Immer verschränkt sich so in Ferdinand das Machtbewußtsein, das er langsam ablegt, mit dem Abscheu vor der Macht und ihren Instrumenten und mit dem Zweifel an der eigenen Qualifikation. Darin liegt die Komplexität dieser Gestalt. Er ist nicht einfach in Schwarz-Weiß-Manier als Gegenfigur zu Wallenstein konzipiert. Während dieser eindeutig als Machtmensch charakterisiert ist, und jeder Versuch, ihm ideelle Ziele zu unterschieben, daran scheitern muß, daß seine Pläne lediglich ein reines Machtstreben enthüllen, dabei nie ausreifen, ja oft nicht einmal ganz klar werden, trägt Ferdinand, nicht umsonst „der Andere" genannt, wie die meisten zentralen Gestalten Döblins beide Extreme in sich, Machtbewußtsein ebenso wie das Gefühl tiefster Ohnmacht.

Wallenstein wird wieder berufen, seine ungeheuren Bedingungen werden ihm zugestanden. Wieder beginnt er wie „ein Größenwahnsinniger" (575) zu rüsten. Wieder hat der Kaiser durch ihn die entscheidende Machtposition inne. Er gibt sie und schließlich auch sich selbst preis, nachdem er trotz Wallensteins Hilfe – oder gerade deswegen – in seinen Bemühungen um Frieden und die Lösung der politischen Probleme scheitert.

Nach der neuerlichen Begegnung mit Wallenstein zieht der Kaiser erstmalig die Kleider eines einfachen Handwerkers an – ein äußeres Zeichen seiner inneren Wandlung. Während bei Wang-lun „die drei Sprünge" stets von einem auf die jeweilige Situation reflektierenden Bewußtsein begleitet sind, versinkt Ferdinand in mystischer Weise in die Machtlosigkeit; in immer größer werdender Passivität nähert er sich einem Ziel, das sich begrifflich nicht mehr klar umreißen läßt. Dieses Ziel ist die mystische Einheit mit sich selbst, dem Leben und der Natur. Der Raum, in dem sich für Ferdinand diese Einheit darstellt, ist der Wald.[12] Immer stärker zieht es Ferdinand nach Wolkersdorf, immer länger werden seine ausgedehnten Spaziergänge in den Wäldern. Er kapselt sich völlig ab. Zu Eleonore sagt er:

> „Ich weiß nicht, was ist. An mich kommt nichts heran. Alles beglückt mich. Deine Stimme beglückt mich, dein Weinen beglückt mich, dein Klagen beglückt mich. Als wenn ich um mich eine Schale zugemacht hätte." (567)

Ferdinand artikuliert hier eine Einheit mit sich selbst und den Dingen, die alles unterschiedslos werden läßt. Er hat innerlich schon eine Region erreicht, in der alles eins ist, in der es keine Unterschiede, darum auch keine Sünde mehr gibt. Er versinkt „in unheimlicher Weise in sich" (586). Er flieht vor der Politik und der Macht: „Langsam spazierte er, versuchte an Wallenstein zu denken. Daß man die Macht über so ungeheure Tiere hatte; er wollte sie gar nicht. Er wollte nur tiefer in den Wald gehen." (587–588)

Doch noch ist das Auf und Ab im Kaiser nicht beendet. Während am Hofe Pläne entstehen, um Wallenstein aus politischer Notwehr zu ermorden, versucht Ferdinand noch einmal, zu seiner Macht zurückzufinden:

---

[12] Auf die Bedeutung, die der Wald im Werk Döblins hat, macht Grass in dem oben genannten Aufsatz aufmerksam.

Hilflos fühlte er sich, von Woche zu Woche mehr. Man sah am Hofe: seine große Hoheit war einer Müdigkeit gewichen; er wußte sich keinen Platz, fühlte sich beirrt, gehindert, gereizt, in einer unnatürlichen Lage. Das wehte launenhaft über ihn hin und breitete sich aus, zerriß seine Einheit. Triebartig hatte er in manchen Stunden das Verlangen, die ganze Last und den Wust von sich abzuschütteln, um wieder zu seiner Macht zu finden. (628)

Der Verrat Wallensteins, an den er nicht glauben kann, gibt ihm „einen letzten Stoß".[13] Die Ereignisse werden ihm „gräßlich durch das Wanken aller menschlichen Beziehung" (629). Lamormain sieht den Weg des Kaisers voraus: „. . . wie ein Begnadeter legte dieser Kaiser alle Macht von sich, legte ihre Schwäche und Kleinheit bloß." (629) Wieder geht Ferdinand nach Wolkersdorf und zieht dort seine schmutzige Handwerkertracht an.

Die größte Demütigung aber steht ihm noch bevor. Er soll der Beseitigung Wallensteins zustimmen. Wie immer wehrt er sich gegen die politische Notwendigkeit, vor allem, da es jetzt um den Mann geht, der ihn gestützt hat, jetzt allerdings mit den Schweden verhandelt und Verrat plant:

„Ich — will — nicht." . . . „Ihr werdet nicht auf mich hören. Ich gehorche nicht. Man wage nicht, mich ins Spiel zu ziehen. Ich werde es nicht zugeben. Ich werde mich auf seine Seite stellen, wenn Ihr etwas sagt. Ich — bin — der — Kaiser." . . . „Nicht — mei — net — wegen!" . . . „Wodurch werde ich zu solchem Wahnsinn getrieben. Nichts soll meinetwegen geschehen. Jetzt vergewaltigen sie mich zu Schande und Erbärmlichkeit." . . . „Was haben sie im Kopf, das ich alles muß. Von mir bleibt nichts übrig. Was habe ich früher mich gewunden, daß ich vor dem bayrischen Maximilian betteln mußte. Aber das." Er brüllte: „Dienen! Dienen! Ich — will — nicht!" (670—671)

Immer wieder empört sich so der Kaiser gegen das ihm auferlegte Los, bis er sich schließlich preisgibt und es akzeptiert. Wieder entweicht er nach Wolkersdorf. In den Wäldern um sein Jagdschloß wird er von einer Bande gefangengenommen, später jedoch wieder freigelassen. Dieses Erlebnis beglückt ihn tief und bringt ihn endgültig auf den richtigen Weg:

„Ich gebe nicht nach", seufzte er noch im Scherz, und rutschte schon weiter den bekannten Weg, den er oft irgendwo gefallen war. Es war eine Freiheit, die ihn mit wachsender Stärke entzückte. Als wenn er das Ende einer Stange ergriffen hätte, an der er sich ruhig, mit geschlossenen Augen, entlang bewegen konnte. (675)

Während Wallensteins Pläne immer großartiger und verworrener wer-

13 Alfred Döblin, „Der Epiker, sein Stoff und die Kritik", S. 343.

den – er verhandelt mit allen Parteien, spricht von Kreuzzugsplänen –, während sein Tod beschlossen und er in Eger ermordet wird, „wieder eingeschlürft von den dunklen Gewalten" (720), geht Ferdinand jetzt den einmal eingeschlagenen Weg zuende. Er schließt sich den leidenden, wandernden Scharen des Krieges an. Die gelegentlich in ihm wieder zum Durchbruch kommende Auflehnung veranlaßt ihn, seine Gesellen aufzuhetzen. Doch dann begegnet er Wallensteins Sarg, und nun läßt er sich ganz fahren: „In Graus und Reue hatte er geschrien: ‚Beile genommen! Beile! Nicht nachgeben;' Das schlief schmerzlich vor Wallensteins kläglichem Holzsarg ein." (730) Überall erzählt er:

> Er sei in einem hohen Amt gewesen, hätte es aufgegeben. Denn das Regieren hätte wenig Zweck. Es läuft alles von selbst. Es ist auch alles gut, hätte er erkannt; man müsse nur wissen wie. (732)

Ferdinand kehrt in den Wald zurück, wo er mit einem koboldartigen Wesen Freundschaft schließt, das ihn dann ermordet. So findet er zuletzt zu den Mächten der Natur zurück, die sich in diesem Wesen verkörpern, und die ihn – wie auch Wallenstein – wieder zu sich nehmen:

> Ihn trieb es, wie er auch widerstrebte und sich wand, nach dem Wald und der Gegend des Kobolds. Er grollte und lobte sich in einem Gedanken, daß er ihm ausgewichen war. Wie er eine Baumrinde berührte, fühlte er, wohin er gehörte; er bekam die Hand, als friere sie fest, kaum los von dem Stamm. (737)

Ferdinands Weg, sich preiszugeben und von der Welt zurückzuziehen, scheint die einzige Lösung zu sein. Denn in der Tat erweist sich alles Handeln als sinnlos. Der Roman endet mit einem Ausblick auf den sich selbst fortzeugenden, furchtbaren Krieg.

Die Interpretation des *Wallenstein* hat gezeigt, daß auch dieser Roman der Thematik des *Wang-lun* verpflichtet bleibt. Ferdinand der Andere macht den für Döblins Helden typischen Prozeß von der Selbstbehauptung, der Behauptung einer Machtposition, in die Selbstpreisgabe durch. Immer wieder wird er, der die Macht vor allem auch als moralische Macht versteht, in die Niederungen des politischen Machtkampfes mit seinen Intrigen hineingezogen und vor Probleme gestellt, die letztlich unlösbar sind und nur zu immer neuen Konflikten und Kriegen führen. So resigniert er schließlich und legt in einem qualvollen Prozeß, in dem immer wieder Zweifel und Widerstreben durchbrechen, die Macht ab, mehr noch, er gibt sich selbst preis und findet erst in der anonymen Masse der Leidenden und in der Natur den richtigen Weg.

Wir können Döblins eigenwilliger Interpretation seines Romans in dem Aufsatz „Der Epiker, sein Stoff und die Kritik"[14], in dem er meint, Ferdinand lege seine Macht aus dem Gefühl der Sättigung ab, nicht zustimmen. Ganz abgesehen davon, daß Döblins Ausführung im „Epilog" dem widersprechen[15], sind Müdigkeit und Resignation des Kaisers nicht zu übersehen. Wesentlich ist, daß mit der Machtübernahme Ferdinands gleichzeitig eine Demütigung durch seinen Schwager Maximilian verbunden ist, die zwar vor dem Romanbeginn liegt, auf die aber immer wieder Bezug genommen wird. Durch dieses Ränkespiel aber wird ihm die Macht schon bei Beginn ihrer Ausübung suspekt. Auf die Bemerkungen Döblins zu Wallenstein und Ferdinand in *Der deutsche Maskenball*[16] braucht nicht eingegangen zu werden, da es sich dort um einen historisch-politischen Aspekt handelt, der uns hier nicht beschäftigen soll.

[14] Ebd. S. 343–344.
[15] Alfred Döblin, „Epilog", S. 388.
[16] Linke Poot (d. i. Alfred Döblin), *Der deutsche Maskenball* (Berlin, 1921), S. 127–128.

6. MENSCHLICHE HYBRIS UND MACHT DER NATUR IN
Berge Meere und Giganten

1924 veröffentlichte Döblin in der *Neuen Rundschau* seinen Essay „Der Geist des naturalistischen Zeitalters"[1]. Dieser wichtige Aufsatz steht in engem Zusammenhang mit dem im gleichen Jahr erschienenen Roman *Berge Meere und Giganten*. Denn dort wird gedanklich analysiert, was hier in flutenden Bildern gestaltet wird. Döblins Analyse der Gegenwartskräfte wird zur Voraussetzung für den Blick in die Zukunft, den er in seinem Roman tut. Die Dialektik seines Menschenbildes, die wir aus der Interpretation seiner Werke zu entwickeln versuchen, wird hier unverschlüsselt erörtert.

Der Gang der Geschichte stellt sich für Döblin dar als der Kampf zweier Welthaltungen. Lange Zeit wurde die Haltung des Menschen „bestimmt durch die Vorstellung eines realen, höchst wirksamen Jenseits" (63). Da die Wissenschaft dieser Zeit „Wissenschaft vom Jenseits, Theologie" (63) ist, wird das Diesseits vernachlässigt. Diese Haltung ist ethisch. Demgegenüber steht die „Neigung, die belanglose Welt zu beobachten" (64). Diese neue Haltung, die sich auf das Diesseits richtet und daher „als unsittlich gelten" (64) mußte, bezeichnet Döblin als den „naturalistischen Geist", der mit dem Erscheinen der Technik in der Mitte des 19. Jahrhunderts sichtbar wird. Der alte Geist der Transzendenz ist deshalb jedoch noch keineswegs erloschen, so daß „ein Durcheinander, das Durcheinanderschieben zweier Epochen" (64) entsteht.

Diese neue „Kraft" (64) bewirkt biologisch eine Mutation der „Tierart Mensch" (65), die sich zu größeren Verbänden zusammenschließt. Aus dieser Entwicklung entsteht eine ambivalente Mentalität:

> Charakteristisch für die jetzige Epoche muß sein das Kleinheitsgefühl, stammend aus der Einsicht von der verlorenen zentralen Stellung in der Welt, und das der Einsicht in die Belanglosigkeit des tierisch-menschlichen Einzelwesens. Daneben steht das Freiheits- und Unabhängigkeitsgefühl, stammend aus der Gewißheit, nicht für ein Jenseits zu leben und alles von sich aus leisten zu müssen. Mit dem Freiheitsgefühl verbindet sich und aus ihm wächst sofort der Antrieb zu kräftigster Aktivität. (66)

[1] In: *Aufsätze zur Literatur*, S. 62–83.

Diese zwiespältige Situation des Menschen in der Welt, die wir bereits in allen früheren Werken fanden, und die einerseits aus der Einsicht in die Nichtigkeit des menschlichen Handelns schlechthin und andrerseits aus dem Aufruf zu weltgestaltender Aktivität herrührt, versucht Döblin hier rational zu begründen. Diese Doppelstellung zeigt sich auch in einer eigentümlichen Betrachtungsweise: auf der einen Seite sieht Döblin den Menschen rein biologisch als eine besondere Art Tier auf einer bestimmten Entwicklungsstufe – er nennt ihn „ein sehr umfangreiches technisch-industrielles Kollektivwesen" (71) und spricht von den Städten als „Korallenstock für das Kollektivwesen Mensch" (74) – auf der anderen Seite aber betont er immer wieder die geistige Kraft des Menschen, die sich in Naturwissenschaft und Technik manifestiert. Es sollte uns nicht wundernehmen, daß Döblin, der immer ein scharfer Kritiker der Naturwissenschaften war – sofern diese versuchten, die Natur zu „erklären" –, nicht bei seiner rationalen Analyse der Gegenwart stehenbleiben konnte, sondern sich mystischen Vorstellungen öffnete, für die er Mauthner als Kronzeugen zitiert:

> „Ich flüchte aus dem Reich der Vernunft in die letzte Einheit, in welcher kein Unterschied mehr besteht zwischen meinem Ich und der übrigen Natur, in welcher ein Tautropfen, eine Tanne, ein Tier und mein Ich nur das gleiche Recht eines Gefühls hat." (81)

Versteht man „Natur" im weitesten Sinne als die Summe aller über den Menschen hinausgehenden und ihn umgreifenden Kräfte, so muß der letzte Satz dieser Abhandlung geradezu programmatisch aufgefaßt werden. Diese Wendung ist auch für viele Romane Döblins, nicht zuletzt für *Berge Meere und Giganten* und für seine späteren Schriften charakteristisch:

> Die Natur ist im ersten Abschnitt dieser Periode nur unbekannt und wird leidenschaftlich erforscht; später wird sie Geheimnis. Dies Geheimnis zu fühlen und auf ihre Weise auszusprechen, ist die große geistige Aufgabe dieser Periode. (83)

Aus der Überzeugung von der mystischen Einheit allen Seins leitet Döblin einen Gedanken ab, der in *Berge Meere und Giganten* und besonders in *Berlin Alexanderplatz* wichtig wird: die Entwicklung muß von der ethischen Indifferenz und Roheit der Epoche zu einer bewußten sozialen Gemeinsamkeit führen: „Das Zusammen und die Gleichartigkeit wird erlebt. Schon das ist ein ethisches Faktum." (83) „Das Wesen, das diese Welt ist," wird „grandios gesellschaftlich und freundschaftlich" (83).

Das Geschehen des Romans *Berge Meere und Giganten* auch nur einigermaßen genau nachzeichnen zu wollen, stößt auf erhebliche Schwierigkeiten. Einzelne Teile sind – wie Döblin in seiner Besprechung angedeutet hat – durchaus selbständig. Auf eine geradlinige, zielgerichtete Handlung, die er seinen Vorstellungen von der Erneuerung des Epischen entsprechend ablehnte, kam es Döblin nicht an. Aber er muß später doch wohl eingesehen haben, daß dieser Roman zu hohe Anforderungen an den Leser stellt, denn er arbeitete ihn um, verkürzt ihn beträchtlich und versah ihn mit zahlreichen Zwischenüberschriften, die dem Leser die Orientierung erleichtern. So verändert erschien er 1932 unter dem Titel *Giganten*.

Viele Details und Digressionen sind auch nur dadurch zu rechtfertigen, daß Döblin sich hier – neben dem Versuch, die Ereignisse in ihrer Totalität darzustellen – darum bemühte, Marinettis futuristischen Roman *Mafarka, le Futuriste*, den er kannte[2], zu übertreffen. Armin Arnold hat bis ins einzelne gezeigt, wie sehr die frühen Romane Döblins, besonders aber *Berge Meere und Giganten* dem Futurismus verpflichtet sind.[3] Einige Sätze Döblins aus dem oben genannten Aufsatz modifizieren nur den Kernsatz Marinettis: „Ein Rennautomobil, dessen Wagenkasten mit großen Rohren bepackt sind, die Schlangen mit explosivem Atem gleichen, ein heulendes Automobil, das auf Kartätschen zu laufen scheint, ist schöner als der ‚Sieg bei Samothrake‘.“[4] Bei Döblin heißt es: „Es ist freilich schon heute ein Unfug, eine Säule von Phidias anhimmeln zu lassen und die Untergrundbahn ein bloßes Verkehrsmittel zu nennen.“ (67) Oder: „Die Dynamomaschine kann es mit dem Kölner Dom aufnehmen.“ (70) Auch in *Berge Meere und Giganten* bestimmen „epische Apposition“ und „Telegrammstil“ – wie schon in früheren Romanen – weitgehend die Erzählstruktur. Auch hier fehlt eine Motivierung – vor allem psychologischer Art – fast völlig. Viele Sprünge der Komposition erklären der umfangreiche Stoff und die lange und komplizierte Entstehungsgeschichte, die Döblin in seinen „Bemerkungen zu ‚Berge Meere und Giganten‘“ nachgezeichnet hat.[5]

Die „Zueignung“ huldigt den Gewalten der Natur, „dem Tausendfuß Tausendarm Tausendkopf“ (5). Gegenüber diesen Kräften ist der Mensch nichts, wird aber doch von diesen Mächten getragen: „Ich bin nur

---

[2] Vgl. „Reform des Romans“, ebd. S. 32.
[3] Armin Arnold, „Der neue Mensch als Gigant: Döblins frühe Romane“, In: Arnold, *Die Literatur des Expressionismus, Sprachliche und thematische Quellen* (Stuttgart, Berlin, Köln, Mainz, 1966), S. 80–107.
[4] F. T. Marinetti, „Manifest des Futurismus“, In: Paul Pörtner, *Literatur-Revolution 1910–1925*, II (Neuwied, Berlin, 1961), S. 38.
[5] In: *Aufsätze zur Literatur*, S. 345–356.

eine Karte, die auf dem Wasser schwimmt. Ihr Tausendnamigen Namenlosen hebt mich, bewegt mich, tragt mich, zerreibt mich." (5) Die Zueignung drückt schon die Haltung aus, die am Ende des Romans als die einzig mögliche übrig bleibt: das demütige Sich-Beugen vor den großen überindividuellen Kräften der Natur. Die Vorgänge des Romans müssen diese Demut rechtfertigen. Denn obwohl die Technik die menschliche Macht über alles Maß hinaus gesteigert hat, erweist sie sich als wirkungslos gegenüber den tellurischen Gewalten. Döblin selbst hat das Thema so formuliert: „die menschliche Kraft gegen die Naturgewalt, die Ohnmacht der menschlichen Kraft"[6]. Damit ordnet sich aber auch dieser Roman seinem zentralen Thema unter, das die dialektische Situation des Menschen in der Welt ist.

Die ersten beiden Bücher („Die westlichen Kontinente" und „Der uralische Krieg") schildern die Ausbreitung der technischen Machtmittel, die Herausbildung einer technischen Herrenklasse, zu der immer mehr auch Frauen gehören. Die Technik trägt ein doppeltes Gesicht. Als Manifestation des menschlichen Geistes wird sie bewundert, aber es fehlt nicht an Figuren, die immer wieder die Herrschaft der Apparate bekämpfen und zu brechen versuchen. Die schon früh entstehende Siedlerbewegung ist eine solche im Grunde antitechnische Revolte, so daß das Pseudoidyll am Schluß des Romans keineswegs unvorbereitet kommt. Der zweifelhaften menschlichen Aktivität, die zur Konzentration furchtbarer Waffen in den Händen weniger geführt hat, wird die ruhige Entfaltung und das Gleichmaß der Natur entgegengestellt:

> Wie sie oft finster vor Wäldern standen, auf einem Balkon die hellbestrahlten Wipfel der Bäume betrachteten; diese tiefgrünen Nadelhölzer, die in riesige schweigsame Höhe ihre gelbbraunen Zapfen streckten, ruhig hinwuchsen: und der Mensch in sich wühlt, bewegt sich, wühlt. (44)

Damit ist das Grundthema des Buches ausgesprochen: einerseits hybride menschliche Aktivität, die sich in einer noch nie dagewesenen technischen Machtvollkommenheit manifestiert, und andrerseits die ewige, unerschütterliche Natur mit ihren Kräften und Gesetzen.

Schnell kommt es „zu den ersten Verzweiflungsschlägen gegen die Maschine" (59). Männer wie Targuniasch opfern sich in den Apparaten. Die Macht, über die die Menschen verfügen, verwenden sie auch gegen sich selbst: „Die Gewalt, die sie hatten, mußten sie auch an sich zeigen. Aus Massenopfern wurden Massenselbstmorde." (68) Eine sichere Schar Herrschender bildet sich heran, die andern sind „vegetative Masse" (71). Aber

---

[6] „Bemerkungen zu ‚Berge Meere und Giganten'", S. 350.

diese trägen Massen, die in den Stadtschaften leben und immer neu in sie einströmen, bilden eine latente Gefahr. So verfällt man schließlich darauf, sie durch Krieg zu beschäftigen. Es kommt zum „uralischen Krieg" der Stadtschaft London-New York gegen die östliche Erdhälfte. Der Krieg setzt ungeheure technische Kräfte frei und endet mit der Vernichtung großer Menschenmassen und ganzer Landschaften im Osten.

Im dritten Buch („Marduk") wird vor allem das Schicksal der märkischen Stadtschaft Berlin verfolgt. Marke, aus dem „uralischen Krieg" heimgekehrt, übernimmt die Regierung. Er schickt seine Töchter in den Tod und blendet sich. Auch anderen befiehlt er, sich zu töten. „Eine Finsternis Lebenssattheit Todesverlangen" (119) breitet sich aus. Er drängt die Massen aus der Stadt hinaus aufs Land und zerstört die Apparate. Er betont die Wichtigkeit der Religion. Die damit einsetzende große Gegenbewegung gegen die Hybris der Technik und gegen die, die sie manipulieren, bleibt immer gegenwärtig. Die immer neuen Erfindungen und Maschinen machen den Menschen nicht glücklicher, sein Leben nicht schöner, sondern wenden sich gegen ihn selbst. Döblin mißtraute letztlich doch den Kräften, die das „naturalistische Zeitalter" freisetzt, und er kehrt zurück in eine mystische Einheit mit der Natur, wie sie nicht erst am Ende des Romans gefunden wird, sondern sich bereits vorher in den Bestrebungen der „Maschinenstürmer" (127) ankündigt.

Markes Nachfolger wird Marduk, auf den sich spätere Giganten bei ihren antitechnischen Plänen immer berufen. Er zerstört alle überflüssigen Apparate, umgibt sich mit einer starken Leibwache und stößt die Menschen aus der Stadt in die Wildnis. Auch sein Freund Jonathan zieht sich mit Elina, seiner Geliebten, aus Berlin zurück; er flieht die Stadt. Als er ohne es zu wollen die Frau eines „Täuschers" verletzt hat, bittet er die „große Kraft" (195), sie nicht sterben zu lassen. In einem Roman, in dem Tausende in einem Satz liquidiert werden, ist diese Klage um eine Verwundete um so auffälliger. Aber es ist eine jener Stimmen, die als Gegengewicht gegen die inhumanen Massenvorgänge, gegen die Kälte und den Zynismus der Herrschenden, nicht überhört werden sollten.

Auch die Wendung, die sich später unter dem Einfluß Elinas in Marduk vollzieht, deutet in diese Richtung. Er erscheint uns zunächst als „sadistischer Teufel"[7]. Mit äußerster Brutalität verfolgt er seine Ziele: Eindämmung des technischen Fortschritts und Ausbreitung der Siedler. „Täuscher", die trotz seines Verbots ihre Versuche fortsetzen, läßt er foltern. Doch seine

---

[7] Arnold, S. 103.

Einsamkeit ist groß. Mit Marion Divoise, der Balladeuse, verbindet ihn eine kurze Haßliebe, wie sie Döblin in *Der schwarze Vorhang* dargestellt hatte, und die nicht zu einer wirklichen Vereinigung, sondern zu einem gegenseitigen Zerreißen und Zerfleischen führt. Die Balladeuse ist eine jener Figuren, die Stolz und Hochmut so isoliert und von jeder Kommunikation abgeschnitten haben, daß sie aus dieser Isolation nur unter Vernichtung ihres Selbst ausbrechen können. Da Marduk sie entgegen ihrem eigenen Willen erregen konnte, fühlt sie sich so gedemütigt und entehrt, daß sie sich aus dem Fenster stürzt, um nicht durch die Liebe über die Grenzen ihrer Individualität hinausgetrieben zu werden.

Der machtbesessene und gleichzeitig von der Macht angeekelte Technokrat Marduk, der trotz allem an seinem Ziel, die „tobsüchtigen Apparate" (244) zu beseitigen, festhält, kann die Wendung zum Humanen, das in der Harmonie des Individuums mit den ewigen Kräften und Gesetzen der Natur besteht, erst unter dem Einfluß seiner Liebe zu Elina vollziehen. Durch diese Liebe, als Liebender und Liebe Empfangender, entdeckt er erst die Natur, das Leben und sich selbst:

> Marduk und Elina waren die ersten, die die Waffen gegen die Natur, und eigentlich gegen sich, niederlegten. Marduk wurde aufgebrochen, geschmolzen von Elina und fand zur Erde zurück. Er fand hinter, unter seinem gewalttätigen Leben sich.[8]

Döblin wies in den „Bemerkungen zu ‚Berge Meere und Giganten'" auch darauf hin, daß das dritte und vierte Buch, in denen Marduk die beherrschende Figur ist, einen Roman für sich bilden und das „Thema des ganzen Werkes" in ihnen bereits durchgeführt ist.[9] Er war der Meinung, daß sich bei Frauen „die Idylle oder Psychologisches, Privates" auftue, daß sie das Epische „sterilisieren".[10] Trotzdem verwendet er in diesem Roman erstmalig – wie Graber gezeigt hat[11] – Frauengestalten als wirkliche Figuren. Erstaunlicherweise bezieht sich Graber bei seiner Feststellung aber auf Venaska und nicht auf Elina.[12] Dabei ist Elina als Figur viel unabhängiger

---

[8] „Bemerkungen zu ‚Berge Meere und Giganten'", S. 353. Vgl. auch: „Nachwort zu ‚Giganten'", ebd. S. 372.

[9] Ebd.

[10] Ebd. S. 355.

[11] Heinz Graber, *Alfred Döblins Epos „Manas"* (Bern, 1967), S. 55 (= Basler Studien zur deutschen Sprache und Literatur, Heft 34).

[12] Minder führt diese Änderung seiner Einstellung zur Frau als epischer Figur auf die Bekanntschaft mit Yolla Niclas zurück, die Döblin im Winter 1921/1922 kennengelernt hat. – Vgl. Robert Minder, „Alfred Döblin", S. 150.

und freier gestaltet als Venaska, die „keine selbständige Existenz" hat, sondern „dicht an die Natur gedrückt" und „gar nicht von der – örtlichen und epischen – Landschaft losgelassen" ist.[13]

Es ist deutlich geworden, daß gerade das Schicksal Marduks und Elinas ein Gegengewicht darstellt zu der furchtbaren Macht der Technik, die sich diabolisch gegen ihre Schöpfer richtet. Wie die anderen Bücher Döblins ist auch dieser Roman von einer Dialektik durchzogen, die im wesentlichen die Komposition bestimmt. Den Gruppen und Individuen, die glauben, sich mit Hilfe der alles ermöglichenden Wissenschaft und Technik zu allmächtigen Herrschern aufschwingen zu können, stehen andere gegenüber, die die Apparate vernichten und zu einem „natürlichen" Leben zurückkehren wollen. Die Technik, noch in der „Zuneigung" in einem Atem mit den Kräften der Natur genannt, wird problematisch.

Der Neger Zimbo, der schwören muß, „er werde die nachuralische Tradition fortführen, die Ausbreitung der Märker betreiben, die Mekifabriken sobald als möglich vernichten" (261), wird Marduks Nachfolger, nachdem dieser einen grauenhaften Tod gestorben ist.

Das fünfte Buch schildert – wie bereits der Titel sagt – „Das Auslaufen der Städte" (263). Da die Beherrschung der städtischen Massen nie ganz gelingt, kommt es zu immer neuen Auseinandersetzungen, einem Hin und Her, dessen technische Einzelheiten belanglos sind. Die vertierten Horden, die aus den Städten weichen, vernichten die Apparate. „Das Auslaufen der Städte" und die Degeneration der Stadtbevölkerung führen zu einem Menschenmangel für neue Projekte in der Stadtschaft London. Der Senat fordert „die ganze Bevölkerung auf, am Wiederaufbau der durch Krieg und die allgemeine Resignation verfallenen Stadtlandschaft mitzuarbeiten" (299). Aber es fehlt auch jetzt nicht an Gegenstimmen, die – wie die schon vorher erwähnten – bewußt ein Leben im Einklang mit der Natur suchen. Immer wieder wird – wie vorher von Marduk – diese charakteristische Wendung zur Einordnung in die übergreifenden natürlichen Zusammenhänge vollzogen. So jetzt auch von White Baker, einst mit Delvil und Pember Mitglied des mächtigen Londoner Senats. Unter dem Einfluß der naturhaften Ratschenila schließt sie sich den „Schlangen" an, die die Natur, den Menschen und die Geschlechtlichkeit, „das Wunder des Männlichen Weiblichen" (301) wiederentdecken und verehren: „Ja, furchtbar sei die Gewalt, die in ihnen allen lebe. Es sei gut, sie zu verehren und zu besänftigen." (303)

---

[13] „Bemerkungen zu ‚Berge Meere und Giganten'", S. 354.

In solchen Sätzen spricht sich immer wieder die Protesthaltung gegen den Anspruch einer technischen Naturbeherrschung aus, eine Haltung, die nach der Katastrophe schließlich die Oberhand gewinnt. White Baker bleibt bei den „Schlangen" und organisiert später den Widerstand gegen den Senat. Auch die Spiele der Fulbe spiegeln ein Leben im Einklang mit der Natur und darüber hinaus die Situation der Massen, die dumpf ihre Kräfte mißbrauchen lassen.

Delvil, auf dessen Namensverwandtschaft mit „devil" = Teufel schon Arnold hinweist,[14] will seine einmal errungene Position bis zum letzten verteidigen. Nun wird aus dem hilf- und entschlußlosen Senator der furchtbarste aller Giganten, der erst jetzt seinen Namen verdient. Er will den Städten ein „sehr entlegenes Abflußbassin, ein Land für Deportationen" (329) schaffen. Vergebens sucht White Baker ihn von seinem Vorhaben abzubringen, das erneut den Einklang des Menschen mit der Natur zerstören muß:

> Sie rang die Arme: „Sag nein. Beim Himmel, bei der Erde, Delvil, sag nein. Es ist entsetzlich. Laß die Erde ruhen. Sieh doch an, was habt Ihr schon —, ich mit —, an den Menschen getan. Wie sehen sie aus, wie gehen sie zugrunde. Was habt Ihr im Krieg in Rußland getan." (332)

Grönland soll, das ist der Plan, „aus dem Eis, dem triefenden Ozean, der schweren Nacht" (334) gehoben werden.

Das sechste Buch („Island") schildert die Gewinnung der vulkanischen Energie, mit deren Hilfe Grönland enteist werden soll. „Neue Kräfte würde man finden. Jetzt würde das menschliche Vermögen entbunden werden, sich unerhört über die Erde tummeln und die Arme wiegen." (341) Menschen, die sich widersetzen – wie die Einwohner Islands – werden rücksichtslos ermordet. Unter Kylins Führung sollen die Vulkane gebändigt werden. Aber es kommt zur Katastrophe, als die vom Menschen entfesselten Kräfte sich gegen ihn wenden. Trotz dieser furchtbaren Vernichtung und des entsetzlichen Schocks wird die Arbeit fortgesetzt. Das Meer wird künstlich aufgerührt, um Schiffe mit Flüchtigen zu vernichten. Turmalinschleier sammeln die Vulkanenergie, mit der das Eis Grönlands geschmolzen werden soll, was im siebenten Buch („Die Enteisung Grönlands") geschildert wird.

Abermals werden ungeheure Kräfte frei, aber auch ungeheure Menschenmassen geopfert, so daß die Arbeiter immer wieder zum Durchhalten

---

[14] Arnold, S. 102.

ermahnt werden müssen: „,Denkt, was ihr schon verrichtet und bewältigt habt, was hinter euch liegt. Wir geben nicht nach. Niemand von uns wird nachgeben. Wir erliegen nicht. Ihr vergeßt nicht, wer ihr seid.'" (400)

Aber auch jetzt fehlt es nicht an einem Gegengewicht zu den ungeheuren Massenbewegungen. Die Episode um den Ingenieur Holyhead und die Syrer Jaloud und Djedaida gibt wieder ein solches Gegenbild, in dem der andere Pol, die Abwendung von der Technik, das Sich-Einstimmen in die natürlichen Lebensgegebenheiten beschworen wird. Holyhead ist von der natürlichen Grazie der Beduinen ebenso fasziniert wie Jaloud von den Versuchen des Ingenieurs. Aber Djedaida fühlt sich ihrem Gatten entfremdet, seitdem dieser auf Holyheads Ölwolken reitet. Der Ingenieur kann sein Tun auch nach dem Tode Jalouds nicht bereuen, aber er folgt Djedaida, die ihn wie einen Gefangenen heimführt.

> Er schlief nicht. Kniete halbe Nächte, verfluchte sich, Holyhead, sein Schicksal, die Städte, in denen er gelebt hatte, seine Eltern, seinen Leib und seine Seele. Der schwarze Bart wuchs ihm lang, die Backen fielen ihm ein. Wenn er sich zerrissen hatte, strömten ihm Tränen über das Gesicht. (413)

Diese Selbstzerknirschung und Verzweiflung, die auch hier wieder den inneren Umschwung bezeichnet, bewirkt, daß Djedaidas anfänglicher Haß sich in Liebe verwandelt:

> Mit Beben nahm der Mann aus den großen westlichen Stadtschaften ihre Zärtlichkeiten an, vertiefte sich in ihr Gesicht, tastete ihre schmale Gestalt ab: „Zwei Arme, zwei Brüste, zwei Schenkel. Wessen Arme, wessen Brüste? Eines Menschen. Zwei Arme, ein Hals, nichts als dies. Und das ist Sättigung bei den Menschen." (416–417)

Solche Episoden beschwören zwar von neuem Gegenbilder, Gegenstimmen, halten aber die Arbeiten in Grönland nicht auf. Als sich die ersten Untiere zeigen, die die Turmalinschleier zu neuem Leben erweckt haben, wächst das Entsetzen unter den Grönlandfahrern. „Die große Kraft, die Glut" (448), hat sie, die „die finstere Urgewalt, die Kälte" (449), angefaßt und nicht losgelassen hatte, befreit. Die Erde beginnt zu wandern, „um dem heißen Eiland näherzukommen" (452).

Das achte Buch („Die Giganten") beschreibt den Einbruch und die Abwehr dieser Untiere, dieser „Mißschöpfungen einer unmäßigen Kraft" (463), und die Entstehung der Giganten. Ungeheure Wucherungen gehen von den Untieren aus, gegen die sich die Menschen, gelähmt von Angst und einem unbestimmten „Schuldgefühl" (470), nicht wehren können.

Delvil wird immer mehr zur beherrschenden Figur. Er will sich an denen rächen, die die Ungeheuer ins Leben gerufen haben, wendet sich aber gleichzeitig gegen die Siedler und die von Panik ergriffenen Massen der Stadtschaften. Er haßt die Erde, weil sie sich eben doch der Beherrschung durch die Menschen entzieht:

> Er haßte diese Welt, die Erde, die ihm dies antat, die phantastische blöde schreckenlose Macht, die sich vor ihm aufstellte und ihn wie ein wilder Bulle umwarf. Man hatte nicht dazu die Äcker verachten gelernt, das Korn weggeworfen, das der Boden gab, das Vieh, das sich selbst fortpflanzte, um dies zu erdulden. Es steckte eine Rache der Erde dahinter, die ihr aber nicht bekommen sollte. (476)

Damit verkörpert Delvil für Döblin das Unmenschliche schlechthin; er hat sich aus dem natürlichen Lebenszusammenhang herausgerissen und trachtet nur noch danach, die Erde technisch zu beherrschen. Er ist nur noch „auf Rache und Vernichtung aus" (477). Durch Zufall wird die Kraft wiederentdeckt, die alles verschuldet hat: die in den Turmalinschleiern gespeicherte Energie, in der „die Seele des Lebendigen" (476) steckt.

Im Norden werden mit Hilfe dieser Turmalinschleier Unwesen gegen die Ungeheuer errichtet. Stoffe, in die schließlich auch Menschen eingepflanzt werden, läßt man mit Hilfe der Schleier zu turmartigen Wesen aufschwellen. Der Skandinavier, dem man die Wiederentdeckung der Schleier verdankt, wird auf Delvils Befehl in einen solchen Turm gesenkt. Aber sterbend singt er „sein Loblied auf die Erde" (481). Wieder wird hier eine der Stimmen laut, die auf die Urmächte der Erde vertrauen, und die die hybride technische Entwicklung ablehnen:

> „Wenn ich deinen Turm sehe, Delvil, so preise ich die Macht der Erde. Du wirst sie nicht besiegen. Ich preise die große Macht. Ich fühle mich in ihr. Es ist keine Grenze zwischen ihr und mir. Ich fürchte mich nicht. Ihr werdet mich auflösen. Laß nur. Ich will dahin." (481)

Der Rest der überlebenden Grönlandfahrer sammelt sich schließlich um Kylin, den Führer der Grönlandexpedition, der sich selbst die Schuld an dem Unglück gibt, das über sie hereingebrochen ist. Sie vereinigen sich in der Anbetung des Feuers und erkennen damit die Kräfte der Natur an, denen sie sich willig unterwerfen:

> „Da brennt es. Wärmt. Brennendes Flammenfeuer. Es hat die Vulkane auf Island zerrissen. Die Gletscher gesprengt. Das ist wie Wasser, das die Schiffe zerschlägt und die Schiffe trägt. . . . Ich verneige mich schon. Du brennst, wenn

wir nahe kommen. Laß dich besänftigen. Sei uns gnädig. Sei uns allen gnädig."
... „Ein lebendiges Wesen ist die Welt: das ist ungeheuer zu denken. Ist es
möglich zu sterben, nachdem wir dies wissen. Hör wie sie rufen. Sie verstehen
alles wie wir. Dies verstehen alle Menschen. Es ist keine Zaubersprache, die wir
verstecken können." (518)

Ihr Zeichen wird der geöffnete Berg, aus dem eine Flamme schießt.

Das neunte und letzte Buch mit dem Titel „Venaska" zeigt das Leben der
Siedler in Südfrankreich, die zur Natur zurückkehren, und das Ende der
Giganten. Unter die Scharen Kylins mischen sich die „Schlangen" aus Eng-
land. Der Drang der Menschen zueinander ist „nach der langen Entfrem-
dung" (525) tief. Venaska, die als Zeichen ihrer naturhaften Existenz die
Feige zu ihrer Göttin macht, ist eine der Führerinnen, deren einzige Macht
die Ehrfurcht und Liebe der andern ist. Abermals wird so das pflanzenhafte
Dasein eines Menschen, der sich in vollendeter Harmonie mit der beseelten
Natur befindet, der hybriden Aktivität der Giganten gegenübergestellt,
deren Wirken nur noch auf Unterjochung und Zerstörung gerichtet ist.
Demütig unterwirft sich der Mensch den Mächten der Natur, und daß er es
gerade auf dem Höhepunkt seiner technischen Möglichkeiten tut, macht
diese Wendung noch bedeutsamer, bringt sie aber in gefährliche Nähe zur
Idylle, worauf Arnold mit Recht hingewiesen hat.[15]

Noch wandert Kylin mit seinen Scharen umher und widersteht der Versuchung, seßhaft zu werden, bis ihn die Begegnung mit Venaska völlig
wandelt. Während sich die ersten Islandfahrer im Feuer opfern, wächst der
Zynismus der Giganten ins Grenzenlose: „Was gehen dich die Menschen an.
Mich gehen die Läuse und Ameisen eben soviel an wie die Menschen." (550)
Sie wollen die „furchtbare Wucht ihrer Kräfte" (567) gegen die Erde rich-
ten; ihre Zerstörungswut bedroht aufs neue die Menschheit. Kylin, der
indirekt die ganze Entwicklung in Gang gebracht hat, bricht aus in Klagen
über die umgekommenen Menschen – auch das ein Zeichen seiner Wandlung: „Seht es euch an: es sind Menschen. Es ist mehr als Muskeln und
Knochen und Haut. Die Riesen haben es nicht gesehen. Ich selbst habe es
nicht gesehen." (571) Kylin weist Venaskas Liebe ab, in der er, nach allem,
was geschehen ist, nur Hohn sehen kann. Er glaubt, büßen zu müssen und
will bewußt den Schmerz aufsuchen. Wir werden noch öfter Gelegenheit
haben, auf die Bedeutung dieses Motivs hinzuweisen. Der Schmerz ist eines
der Phänomene, die die Grenzen der menschlichen Individualität aufzeigen,

---

[15] Ebd. S. 100 und 106.

deren Bedeutung in Frage stellen und den Menschen dazu treiben, sich zu ändern und zu wandeln.

Kylin schickt Venaska zu den Giganten. Da sie auch in ihnen „ihr Blut, ihre Brüder" (576) erkennt, kann sie die Ungeheuer erlösen. Denn auch sie, vergessen wir es nicht, sind aus der Urkraft entstanden, wenn auch aus deren Mißbrauch. Je mehr sie sich den Riesen nähert, desto intensiver verwächst sie mit der Landschaft. Sie senkt sich in Delvil, den nur noch das Bewußtsein und der Turmalinschleier von der Natur trennen. Durch diesen Vorgang werden letztlich auch Delvil und die anderen Giganten in die Natur zurückgenommen. Zu einem Leben, das sich den natürlichen Gegebenheiten anvertraut, gehört auch der Tod. Delvil hat das Leben für ewige Zeiten; so muß Venaska, die selbst die Kräfte der Natur verkörpert, ja Natur wird, ihn zum Tod erlösen. Er kehrt - wie so viele Helden Döblins - in die Anonymität der großen Urgewalten zurück.

Allenthalben versuchen die Menschen, die den Islandfahrern in der Verehrung des Feuers folgen und die Sitten der Märker annehmen, die Harmonie mit der Natur wiederzufinden:

> Neu fühlte man sich in das Gewitter ein, in den Regen, den Erdboden, die Bewegungen der Sonne und Sterne. Man näherte sich den zarten Pflanzen, den Tieren. ... Aber schon betete man freudig und langsam atmend vor dem flackernden Licht, vor den großen Kräften, die alle errettet hatten und sie jetzt neu beseelte. ... Stündlich war man von geheimnisvollen Kräften umgeben; ... (583)

In dem Gespräch zwischen Kylin und Ten Keir, der immer noch auf den Trümmern seiner Brüsseler Stadtschaft sitzt, kommen die beiden Positionen noch einmal zum Ausdruck: einerseits die Selbstherrlichkeit des Menschen und andrerseits die Notwendigkeit, die überindividuellen Kräfte, mit denen der Mensch zusammen- und von denen er abhängt, zu erkennen und sich ihnen zu unterwerfen. Ten Keir will keine Gewalt über sich akzeptieren, er trauert um die Giganten: „,Es gibt keinen Gott und keine Gewalt, von der ich ein Zeichen annehme. Ich bin ein Mensch'". (584) Aber fügt noch etwas hinzu — und wirft damit die Frage auf, ob die Macht der Giganten an sich schon zu verwerfen sei oder nur deren Mißbrauch:

> „Niemand war diesen Dingen gewachsen. Weil sie in Räuberhände fielen, waren sie nicht weniger unerhört. Und groß, und unser. Die Giganten hatten den Schleier; sie haben ihn in Wut und Rachsucht verwandt. Sie haben an sich selbst gebaut, Angst wurde mir, aber jetzt fasse ich, es war das Stolzeste, Menschenwürdigste, das jemals geschah." (585)

Damit aber wird die erreichte Position - wie eigentlich in fast allen Büchern Döblins - keineswegs als endgültige Lösung hingestellt, sondern schon wieder fragwürdig: die technischen Errungenschaften des Menschen, die seine Autonomie begründen, können nicht ohne weiteres verworfen werden, auch wenn sie mißbraucht worden sind. Damit aber wird gleichzeitig ein Fragezeichen hinter den idyllischen Schluß gesetzt. Gemeinsam errichten Kylin und Ten Keir den Giganten ein Erinnerungszeichen, denn „sie waren gewaltige Menschen" (587). Nach Venaska, deren sich „die große Urmacht" (588) bedient hat, um die Giganten hinwegzuraffen, wird das Land genannt. Dieses Land ist – wie die Natur überhaupt – beseelt. Die Menschen leben in einem tiefen Einverständnis mit der Natur und beugen sich demütig vor ihren Kräften:

„Wir haben auch das Feuer. Es ist uns nicht entschwunden. Wir müssen dies festhalten. Diuwa, das Land nimmt uns, aber wir sind etwas in dem Lande. Es schlingt uns nicht. Wir haben keine Furcht vor der Luft und dem Boden. Kennst du, Diuwa, Ten Keir? Du kennst ihn. Er ist still geworden. Er weiß, wir haben die Kraft, das wirkliche Wissen, und die Demut. Er ist mein Freund. Er hat unser Zeichen genommen und geschworen, nicht von mir zu gehen. Warum? Er sieht, wir sind reicher und stärker geworden. Wir sind die wirklichen Giganten. Wir sind es, die durch den uralischen Krieg und Grönland gegangen sind. Und wir, wir sind nicht erlegen, Diuwa." (587–588)

Döblins Grundthema wird auch in diesem Roman wenig variiert. Aber es herrscht nicht mehr die Resignation und der Pessimismus der vorhergehenden Bücher, in denen die Menschen vor den übergreifenden Mächten kapitulieren und sich bedingungslos unterordnen, ja sich aufgeben mußten. Hier kommt es zu einer sehr bewußten Einordnung in die natürlichen Zusammenhänge des Lebens, eine Auflösung des Konflikts, die derjenigen in *Das Ich über der Natur* und *Unser Dasein* entspricht. Nur aus der Verehrung der Erde und ihrer Kräfte heraus kann man die Beschreibung von geographischen und geophysikalischen Fakten verstehen. Denn Döblin sucht so die Kräfte zu beschwören, die hinter allen Erscheinungen wirksam sind. Die vom Menschen selbst entfalteten Kräfte wenden sich schicksalhaft gegen ihn und führen diese Wandlung herbei. Es triumphiert nicht die hybride Technik, sondern das Menschliche im Einverständnis mit einer letztlich doch harmonischen Natur, die erst durch den Mißbrauch des Menschen unheilvoll wird. Aus diesem Grund muß man Muschgs Verdikt gegen das Buch als Fehlinterpretation ablehnen.[16] Charakteristisch ist aber auch hier für Döblin der Sprung in den Naturmythos, der noch öfter begegnen wird, der aber die Frage nach dem Sinn der menschlichen Existenz, deren Nichtigkeit ja eine Grunderfahrung des Romans ist, erneut aufwirft.

---

[16] Muschg, *Die Zerstörung der deutschen Literatur*, S. 91–92.

7. DER MENSCH UND DAS GESETZ IN *Giganten*

Es ist hier nicht der Ort, die beiden Romane *Berge Meere und Giganten* (1924) und *Giganten* (1932) eingehend zu vergleichen. Döblin deutet in seinem „Nachwort zu 'Giganten'" an, daß es sich nicht um eine Neufassung, sondern um ein ganz anderes Buch mit demselben Stoff handelt.[1] Er nimmt nicht nur beträchtliche Kürzungen vor, besonders an den beiden ersten Büchern, denen auch Episoden zum Opfer fallen, die wir oben genauer interpretiert haben, sondern er versucht, völlig neue Akzente zu setzen. Die „Zueignung" ist forfgefallen. Dem Buch wird - ähnlich wie in *Berlin Alexanderplatz* - ein thematischer Aufriß vorangestellt, dessen einzelne Abschnitte den Kapiteln des Romans als Mottos dienen. Entwicklung und Bedeutung der Maschine werden nachdrücklicher betont und bilden jetzt mehr als früher ein Handlungsrückgrat. Vieles, was vorher unbegründet und zusammenhanglos war, wird jetzt psychologisch motiviert. Aus den neun Büchern werden acht, die zum Teil neue Namen erhalten.

Die bedeutendste Veränderung nimmt Döblin jedoch am letzten Buch vor. In *Berge Meere und Giganten* endet Kylins Zug in dem Land Venaska zwischen der Belgischen Küste und der Loire. Die Menschen sind durch die ungeheuren und leidvollen Erfahrungen gegangen, die ihnen der Grönlandzug beschert hat. Sie erinnern sich der Giganten, die große Menschen waren, beugen sich aber in Demut den Naturgewalten, die sie im Feuer symbolisch verehren. Dieser idyllische Schluß hat Döblin das Odium eines „feigen Rückzugs" eingetragen.[2]

In *Giganten* versucht Döblin beiden Haltungen Gerechtigkeit widerfahren zu lassen, sowohl der einen, die sich letzlich den Mächten der Natur unterwirft, als auch der anderen, die von dem Gedanken der menschlichen Autonomie ausgeht, allerdings dann durch die Entwicklung von Naturwissenschaft und Technik zu hybrider Selbstüberschätzung pervertiert wird. Nicht zufällig trägt das letzte Buch den Titel „Die Erde und das Gesetz". Bis zu dem Gespräch zwischen Ten Keir und Kylin läuft die Entwicklung in beiden Romanen im wesentlichen parallel. Auch in der Neubearbeitung stellt sich Ten Keir eindeutig hinter die Giganten. Die Ablehnung Kylins aber ist nicht

---

[1] In: *Aufsätze zur Literatur*, S. 372–373.
[2] Arnold, S. 106.

mehr so schroff wie vorher, im Gegenteil: wie Ten Keir weint auch er um Delvil. Gemeinsam errichten sie den Giganten Steinhaufen als Zeichen für die letztlich doch in ihnen wohnende menschliche Kraft und Größe.

Die jetzt folgenden Passagen sind jedoch völlig neu. Sie betonen, daß „nicht die Zeit der Siedler gekommen" (369) sei. Kylin und seine Scharen nehmen weder für noch gegen die Maschine Partei: „Es fiel keine Entscheidung für die Maschine, aber auch keine Entscheidung für die Siedler. Es war ein drittes Wort da: das Gesetz!" (370) Allmählich kehren sie in die Städte zurück, in denen sie doch wurzeln:

> Aber wie es auch war, dies hier war ihnen Vater und Mutter. Sie gingen in die Städte, denn sie erkannten Stadtschaften und Maschine an und ehrten ihr Blut. Tobsucht war in ihrem Vaterhaus eingerissen, sie hatten die Aufgabe, eine neue Ordnung zu schaffen. (370)

Die Welt der Städte und Maschinen wird nicht mehr so negativ gesehen wie noch in *Berge Meere und Giganten*.

Döblin rückt hier den Menschen, der aktiv und gestaltend die Welt verändert, gleichberechtigt neben den, der sich in Demut unter die Naturkräfte beugt, sich aber auch von ihnen getragen weiß. Beides gehört zusammen. Aber gleichzeitig wird vor einer Überschätzung des Handelns gewarnt, mit Worten, die an schon zitierte Stellen aus *Wang-lun* und *Das Ich über der Natur* erinnern:

> Der große Pendel war wieder zurückgeschlagen. Auf das lange hinflutende Ausatmen folgte das tiefe erfüllende Einatmen. Man hatte die Maschine geschaffen, sie befreit, sich von ihr führen lassen, man hatte die Kräfte der Natur gesammelt und sich untertan gemacht, man war Herr über die Erde, — jetzt — war genug gehandelt. Es war genug gehandelt.
> Handeln hat seine Zeit, Nichthandeln hat auch seine Zeit. Es war nötig zu wachsen und zu wandern, aber auch zu stehen und zu liegen. (370)[3]

Die Maschinenseele ist erschöpft und braucht Ruhe. Die Gegenbewegung setzt ein. Von den Giganten trennt die Menschen jetzt vor allem die Erfahrung des Todes, des Entsetzens und des Schmerzes. Die Giganten nahmen das Leben als Abenteuer; sie kamen über das Wagnis nicht hinaus. Aber die jetzt Lebenden wissen, daß es das Gesetz gibt, das keine Lehre vermittelt, und das unausgesprochen bleibt. Das Gesetz wurde in Island und Grönland erfahren, als die Menschen in hybrider Verblendung ihre Kräfte über-

---

[3] Vgl. *Wang-lun*, S. 13, 48, 80. Vgl. *Das Ich über der Natur*, S. 236–237.

schätzten. Das „Gesetz" kann also doch wieder nur als die Naturgesetze verstanden werden, die den Menschen umfassen, und vor denen er sich beugen muß. Der Roman endet — ähnlich wie *Berlin Alexanderplatz*, auf den er ja folgt — mit der Vision eines neuen Menschentums — dem zentralen Thema des Expressionismus! —, eines Menschentums, das sich dieses Gesetzes bewußt ist:

> „Laßt uns eine neue Fahrt beginnen, die große weite Welt ist da, sie hat die Sterne und den Himmel, und der Mensch und sein Gesetz ist da.
> Seid rüstig, vergeßt nicht, euch zu regen, vergeßt nicht, wir sind alle auf der Fahrt. Vergeßt nicht, wir sind arme schwache Menschen, aber auch das Gesetz ist da. Der Wind geht, unser Segel flattert, wacht auf, ihr lieben Menschen, wir sind in Fahrt. Ein neuer Tag ist angebrochen, vergeßt nicht, wo ihr gestern wart. Vergeßt nicht, welches Ufer euch ergötzt, in Städten, Bergen und auf Feldern, — das große Gesetz." (373)

Die Lösung unterscheidet sich nicht wesentlich von der, die in *Berge Meere und Giganten* geboten wird. Hier in *Giganten* wird allerdings deutlicher und bewußter der Ausgleich zwischen den beiden antithetischen Haltungen und Auffassungen vom Menschen angestrebt, zwischen Aktivität und Passivität, Handeln und Nicht-Handeln, dem Menschen als geistbestimmtem Individuum und als biologischem und technischem Massenwesen, dem Individuum als Subjekt und als Objekt. Stärker als in früheren Romanen jedoch sind es hier vom Menschen selbst entfesselte Kräfte, die seiner Kontrolle entgleiten, ihn zu vernichten drohen und ihm so zum Schicksal werden, Kräfte, die ihn über die von der Natur gesetzten Grenzen hinausheben und ihn darum mit ihr entzweien müssen. Es ist logisch, daß er sich reumütig unter die ewigen Gesetze der Natur beugt. Das aber führt uns nur aufs neue zu der Frage nach dem Menschen als handelndem Subjekt und macht nur das Dilemma deutlich, in dem Döblin sich befindet: das Streben des Menschen nach Autonomie, sein Versuch, die Natur zu beherrschen, ein Versuch, der in Hybris endet, führt nur zu der Anerkennung der Grenzen des Individuums und der ewigen Gesetze der Natur. Dennoch — und darin besteht das Paradoxe seiner Situation — muß er immer wieder versuchen, seine Grenzen zu sprengen. Er ist — wie Döblin in *Unser Dasein* immer wieder betont — „Stück und Gegenstück der Natur". Als Stück der Natur ist er ihren Gesetzen unterworfen, als Gegenstück der Natur geht er gegen sie an. Das ist „die dialektische Spannung"[4] des Menschen, durch die sich

---

[4] Alfred Döblin, *Unser Dasein*, S. 176.

die Welt fortbewegt. Immer wieder hebt Döblin hervor, daß beide Seiten nicht isoliert werden dürfen, daß sie mit der Natur eine Einheit bilden, aber dieser Gedanke liegt bei ihm jenseits logischer Deduktion, er gehört mystischem Ideengut an. Der Schluß von *Giganten* — kontrovers wie häufig bei Döblin – hängt mit diesen philosophischen Überlegungen eng zusammen. Die Synthese von Siedlertum und Städtertum entspricht der Vereinigung des Ichs als Stück und Gegenstück der Natur in der Person. Aber nicht zufällig wird das Bild der neuen Menschheit in die Zukunft projiziert. Was real existiert, ist eben doch die kontroverse Anlage des Menschen – nicht der harmonische Ausgleich der Gegensätze.

8. „ÜBERHOBENHEIT" UND „DEPRESSION" in *Manas*

Der utopische Roman *Berge Meere und Giganten* markiert nach Döblins eigenen Worten den Endpunkt einer bestimmten Phase seines Denkens und Schaffens:

> Entsetzt sinkt nun, was vom Menschen übrig ist, in die Knie und opfert demütig den Urgewalten.
> „Opfer" und „Demut" waren gefunden, diese Erkenntnis, noch nicht die innere Macht. Ich war damit den Weg der Massen und großen Kollektivkräfte zu Ende gegangen. Ja, bis hierher, bis zu dem Buch der „Giganten", hatte ich an der Großartigkeit der geschaffenen Welt gehangen und ihre Partei ergriffen. Mit der erschöpfenden Anstrengung des Gigantenbuches war mir hier genug getan.[1]

Wir hatten schon Gelegenheit, auf die Fehlschlüsse, die man aus diesen Bemerkungen gezogen hat, hinzuweisen. Auch wenn Döblin immer wieder die großen Gewalten feiert, so vergißt er deshalb keineswegs das Individuum. Mit seinem autobiographischen Bericht *Reise in Polen* (1926) glaubt man, diese Abwendung von „den großen Kollektivkräften" und seine Hinwendung zum Individuum belegen zu können. Aber auch in diesem Buch steht – wie in den anderen Werken – beides nebeneinander: die Mächte der Natur, des Lebens und das menschliche Individuum:

> Dies hier, was ich sehe, erscheint mir am stärksten, die unermeßliche Natur. Immer wieder sie. ...
> Und das andere, das zweite Stärkste? Die – Seele. Der Geist, der Wille des Menschen. ...
> Daß man verändern, neusetzen, zerreißen darf, zerreißen muß, ist mir klar. Der Geist und der Wille sind legitim, fruchtbar und stark.
> Es gibt eine gottgewollte Unabhängigkeit. Beim Einzelmenschen.[2]

Die Natur ist nicht tote Materie, sondern beseelt: „der Geist lebt, Geist schafft in der Natur. Geist, Wille hält dieses zusammen."[3] Derselbe Geist

---

[1] „Epilog", In: *Aufsätze zur Literatur*, S. 388–389.
[2] Alfred Döblin, *Reise in Polen* (Olten/Freiburg i. Br., 1968), S. 344.
[3] Ebd. S. 98.

ist jedoch auch im Menschen wirksam, so daß gerade die umhergetriebenen Juden zum Symbol für „den Geist und die Kraft des Ich"[4] werden können.

Der Gegensatz zwischen Individuum und Natur ist auch hier nur scheinbar überbrückt, denn die Frage, wie sich der einzelne mit Geist und Willen in seiner Unabhängigkeit behaupten kann, bleibt unbeantwortet. Wenn Döblin in demselben Buch die Gestalt Christi, welche die Notwendigkeit von Leid, Opfer und Selbstpreisgabe verkörpert und darum eine so große Anziehungskraft für Döblin gewinnt, mit der Maschine als dem Symbol menschlichen Autonomiestrebens konfrontiert wird, so tritt dieser Widerspruch, den wir in seinem ganzen Werk wahrnehmen, auch für Döblin abermals zutage:

> Diese Maschinen hier aber sind auch echt, stark, stahllebendig. Sie haben mein Herz. Mich kümmert nicht, wie sie mit dem Gehängten, und dem Gerechten zusammenhängen. Ich — und wenn der Widerspruch bis zum Unsinn und bis zur Hölle herunterklafft —, ich lobe sie beide.[5]

Döblin ist zweifellos zu bestimmten Grundanschauungen gekommen: einerseits die unendliche, von einem Geist durchseelte Natur, von welcher der Mensch ein Teil ist, andrerseits ein geistbestimmtes Individuum, das verändernd in die Umwelt eingreift und die Natur zu dominieren sucht. Das Verhältnis der beiden zueinander bleibt jedoch problematisch. Döblins Helden sind nicht zuletzt Figuren, an denen er neue Erkenntnisse zu erproben suchte. Wir werden daher jetzt an *Manas* zu prüfen haben, ob und inwieweit sich sein dialektisches Menschenbild ändert.

Es ist nur logisch, wenn Döblin, von dessen Ablehnung des realistisch-psychologischen Romans und dessen Versuch, das Epische zu erneuern wir bereits gesprochen haben, zur Form des Epos greift, als er einen mythologischen Stoff gestaltet. Seine innere Affinität zu diesem Stoff liegt auf der Hand; denn schon viel früher, spätestens seit dem Aufsatz „Buddho und die Natur"[6], hat er sich mit dem Buddhismus und Indien auseinandergesetzt. Muschg weist darauf hin, daß sich bereits bei den Skizzen zum *Wang-lun* eine Notiz über Schiwa und den Kailasberg befindet.[7] Auch die „Zueignung" in *Berge Meere und Giganten* wurde durch die Eingangsverse zu einem indischen Hymnus angeregt.[8] Der hinduistischen Religion ist „die

---

[4] Ebd. S. 99.
[5] Ebd. S. 326.
[6] In: *Die Neue Rundschau* XXXII (1921), S. 1192–1200.
[7] Walter Muschg, „Nachwort des Herausgebers", In: *Manas*, S. 383.
[8] Ebd. S. 385.

abendländische Isolierung des Menschen auf Kosten der anderen Geschöpfe" unbekannt;[9] alles steht in ständiger Kommunikation mit allem, alles ist in ständiger Metamorphose begriffen. Dieses religiöse Grundgefühl stimmte aber – wie Muschg richtig gesehen hat – mit Döblins eigener Naturphilosophie überein,[10] und hat konsequenterweise die Auflösung der herkömmlichen Romanform zur Folge, in der das Individuum isoliert wird.

Die Dialektik des Menschenbildes, die wir bisher verfolgten, stellt sich in *Manas* in erster Linie als eine tiefe Gefühlsbewegung dar. Robert Musil der die Bedeutung des *Manas* wohl als erster erkannt hat, wies bereits auf diese antithetische Gefühlsspannung hin, die das Buch durchzieht:

... denn nicht das Intellektuelle und seine Auslegungsmöglichkeiten erscheinen mir als das Bedeutsame an diesem Buch, sondern der aus allen Hemmungen gerissene Schwung der Antriebe, die große Woge der zwischen manischer Überhobenheit und tiefer Depression liegenden Grundgefühle unserer Existenz, die hindurchströmt und eine Fülle von Erlebnissen rücksichtslos mit sich reißt.[11]

Damit ordnet sich aber auch diese epische Dichung Döblins dem Gesamtthema unter, der Frage nach den Möglichkeiten des Lebensverhaltens zwischen Auflehnung gegen („Überhobenheit") und Unterwerfung unter das Schicksal („Depression").

Wie in den meisten anderen Büchern Döblins vollzieht sich die charakteristische Wandlung des Helden von der einen Position in die andere, die hier gleich am Anfang des Epos steht, unter dem Einfluß des Schmerzes. In *Berge Meere und Giganten* betont Kylin die Notwendigkeit des Schmerzes, der allein die leidvolle Selbsterkenntnis des Menschen fördert: „Der Schmerz ist unsere Seele, unser Gott."[12] Durch den Schmerz wird sich der Mensch seiner Grenzen, seiner Endlichkeit bewußt, denn er bezeichnet den Punkt der Ich-Auflösung. In *Das Ich über der Natur*, einer Schrift, deren Kenntnis für das Verständnis des *Manas* eine unerläßliche Voraussetzung ist, sagt Döblin: „Das gefährdete und geängstigte Ich, die zertrümmernde Form, entwickelt Schmerz. Nur dieser Moment im Leben der Form ist mit Schmerz gezeichnet. Lust aber ist der Zustand der Form selbst."[13] Wir werden in den folgenden Romanen noch öfter Gelegenheit haben, auf dieses Motiv hinzuweisen.

[9] Ebd.
[10] Ebd.
[11] Robert Musil, „Alfred Döblins Epos", In: *Manas*, S. 375. (Vgl. auch in: Robert Musil, *Prosa, Dramen, Späte Briefe*, ed. Adolf Frisé (Hamburg, 1957), S. 613–619.)
[12] *Berge Meere und Giganten*, S. 575.
[13] *Das Ich über der Natur*, S. 225.

Manas, der soeben als strahlender Held aus einer siegreichen Schlacht heimgekehrt ist, steht am Fenster seines Palastes und wird von der Bevölkerung als Sieger gefeiert. Aber gerade jetzt, im Augenblick des höchsten Triumphes, kommt die Wendung, überfällt ihn der Zweifel an sich, seinem Tun und dem Leben, denn in der Schlacht hat er „das Grauen der Kreatur gesehen" (11). Mehr noch: in einem Feind erkennt er seinen Bruder, den l e i d e n d e n Menschen – wie Wang-lun in dem gefangenen Räuber seinen Bruder findet. Er will sich dieser schmerzlichen Erfahrung nicht entziehen und zu den Toten gehen, obwohl sein Lehrer Pluto ihn darauf hinweist, daß der Schmerz der Welt immanent ist und nicht erst im Jenseits gesucht werden muß. Beide machen sich auf den Weg zum Totenreich, dessen Grenzen Manas in seiner Sehnsucht nach Leiden und Schmerz durchbricht, um die dort herumirrenden Seelen, deren Schicksal er nachvollziehen will, in sich hineinzutrinken. Das qualvolle Nacherleben fremden Leides und Unglücks zeigt ihm die Preisgegebenheit des Menschen und drückt ihn zu Boden. Trotzdem aber ermahnt er sich, nicht zu verzagen: „Unser Leben ist schwer. Unser Leben ist gräßlich. / Aber nicht verzagen." (39) Doch seine Erschütterung wächst ins Grenzenlose, so daß er schließlich sein Ich aufgeben will, denn „er erträgt nicht mehr das Dasein" (44).

Eine letzte Steigerung auf dem Weg zum Schmerz durch die Selbstpreisgabe ist die Begegnung mit der Seele eines von ihm Erschlagenen. Wie Wang-lun erkennt er die Sinnlosigkeit des Tötens, das Böse in seinem Leben, das er durch die Aufgabe seines Selbst zu überwinden hofft: „Ich strecke mich hin." (60) So sehr ist er von dieser letzten, tiefsten Erfahrung erschüttert, daß er das Bewußtsein verliert. Nachdem drei Dämonen seinen Zustand benutzt haben, um sich seines Körpers zu bemächtigen, tötet Puto irrtümlich Manas, dessen Seele auf das Totenfeld entweicht, und kehrt mit seiner Leiche in die Hauptstadt zurück.

Sawitri, Manas' Gemahlin, erkennt den Leichnam nicht als den ihres Gatten und lehnt es ab, mit ihm verbrannt zu werden, da sie fühlt, daß sie ihn wiederbringen wird. Auf ihrer Suche nach Manas verschmilzt sie ganz mit der Natur – ähnlich wie Venaska auf ihrer Wanderung zu den Giganten. Schließlich wird sie in letzter Erniedrigung und mit dem Verlust ihrer Individualität die Geliebte eines Buschmannes, den sie mit Manas identifiziert. Jetzt erst – bezeichnend genug für Döblin! –, nachdem sie sich noch auf andere Weise gedemütigt hat, vernimmt sie die Stimme Manas' und hört das Schreien des Sterbenden. Durch die Natur hindurch fühlt sie, was geschehen ist, eben weil sie selbst als Teil der Natur mit ihr kommuniziert:

„War zusammen mit der Luft, den Blättern, dem Boden unter / der Sohle, / Sog und gab weg." (139)

Auch ihr begegnen die Seelen Verstorbener, an deren Schicksal sie teilnimmt. Anders als Manas, der sich im Schmerz auflösen wollte, geht Sawitri mit einer größeren Unbeteiligtheit über das Totenfeld, denn sie hat die Selbstpreisgabe schon vorher vollzogen; sie ist bereit, alles zu akzeptieren, ja zu allem zu sagen. Sie ist einfach da, ist in der Natur, in den Dingen: „Ja zu allem, und Fragen, Tasten, Wohlsein. / Wohin sich wenden, sie war überall da." (144) Eben weil sie in vollendeter Weise mit der Natur harmonisiert, Natur ist, kann sie schließlich Manas wiedergebären. In den Schicksalen, die ihr begegnen, spiegelt sich ihre eigene bedingungslose Hingabe.

Aber es darf doch nicht übersehen werden, daß in beiden, Sawitri und Manas, immer ein Rest von Auflehnung gegen den Weg der Selbstpreisgabe wirksam ist, der sie gegen Tod, Schmerz und Auflösung rebellieren läßt. Besonders Manas ist noch nicht wieder in die Anonymität der Naturvorgänge zurückgesunken wie die anderen Seelen, die singen:

> „Schnee sein, Wind sein,
> Durch die Luft tropfen,
> In den Boden sinken.
> Wer hat den Tod erfunden?
> Schmelzen, Schwinden,
> Nicht zu wissen von gestern, morgen,
> Nicht zu wissen von mir,
> Nicht zu wissen, nicht zu wissen." (194–195)

Die ambivalente Stellung des Menschen, die Döblin in *Das Ich über der Natur* und *Unser Dasein* genauer beschreibt, spricht sich sowohl in Sawitris als auch in Manas' Haltung aus. Einerseits will Manas den Weg zu Schiwa in die Vernichtung gehen: „ „Will Heu und Holz für dich sein, / Will weggenommen, vernichtet sein.'" (195) Auf der anderen Seite aber will er sich bewahren: „Ich will nicht enden. Sie haben mich weggerissen.'" (195) In beiden vollzieht sich so die doppelte Bewegung des Ichs: „sich abzukapseln – und sich auszustrahlen"[14], sich in der Individualität zu bewahren – und sich aufzugeben, aufzulösen.

Das dritte Buch schildert die Rückkehr des von Sawitri wiedergeborenen und ins Mythische gesteigerten Manas auf die Erde unter die Menschen.

[14] Ebd. S. 166.

Während fast alle Figuren mehr oder minder den überindividuellen Kräften unterliegen und nur Selbstpreisgabe und Resignation als mögliche Haltungen übrig zu bleiben scheinen, konzipiert Döblin hier erstmalig eine Gestalt, die diese Kräfte überwindet.

> Allein die zu überwindenden Mächte erfordern ein so großes Maß an Kraft, daß der, dem es zum ersten Mal in Döblins Werk gegeben ist, sich der Welt gewachsen zu zeigen, über diese schon hinauswächst: er muß zum Halbgott werden, als Mensch vermöchte er nicht zu bestehen.[15]

Seine übermenschliche Macht zeigt sich darin, daß er die Dämonen, die sich vorher seines Körpers bemächtigt hatten, besiegt, sie bindet und mit ihnen das Totenfeld verläßt, um die Erde wiederzusehen.

Nachdem Manas in seiner ziellosen Kraft unter den Menschen gewütet hat, läßt er sich von seinen Flughunden ins Meer fallen, um mit dem Wasser zu spielen und zu sprechen. Weil sich für Döblin im Wasser wie in keinem anderen Element die Kräfte der Natur manifestieren, gewinnt diese Episode eine große Bedeutung, denn so wird symbolisch die Überwindung der Naturmächte gezeigt, was Manas über den Menschen hinaushebt. Um die Wichtigkeit dieses Vorgangs voll würdigen zu können, muß man ihn neben den Schluß von *Berge Meere und Giganten* halten. Dort opfert Kylin demütig dem Feuer, das stellvertretend für die Mächte der Natur steht, die sich dem Menschen überlegen gezeigt haben. Hier vermag das Wasser, ein anderes Element, Manas nichts anzuhaben. Er triumphiert über die Natur; aber er ist kein Mensch mehr, sondern über menschliches Maß hinaus gesteigert.

Manas' Überhobenheit, die ihn selbst Schiwa herausfordern läßt, schlägt wieder in das Gegenteil um, in die demütige Erkenntnis, daß der Mensch – wie alles – nur ein Staubkorn ist:

> „Sieh dir nachts den Himmel an, heute nacht.
> Da ist eine Schleppe.
> Da geht einer, zieht die Schleppe hinter sich.
> Es weht Staub auf, solch Staub.
> Die Sterne sind der Staub
> Und die Erde und die Blumen und die Menschen
> Und die Götter und was du weißt. ...
> Ich – fühle den, der die Schleppe zieht, Puto.
> Obwohl ich selbst mit dem Staub wirble, fühle ich ihn."
> (307–308)

---

[15] Heinz Graber, *Alfred Döblins Epos „Manas"*, S. 20.

Aber trotz dieses Gefühls der Nichtigkeit, die Kraft zu spüren, die das Staubkorn, die alles bewegt, – darin liegt zugleich die menschliche Größe. Beide Extreme der Gefühlsspannung, Überhobenheit und Depression, haben also eine gemeinsame Wurzel. Ähnlich wie hier lautet auch in *Das Ich über der Natur* die Antwort auf diese Frage nach dem Sinn der menschlichen Existenz. In der Natur des Menschen aber liegt stets die Möglichkeit, dieses demütige Verhältnis zu verkennen und sich zum Meister aufwerfen zu wollen. So antwortet Manas auf die Frage Putos, ob er derjenige sei, welcher die Schleppe ziehe: „„Führ mich nicht in Versuchung, / Führ mich nicht in Versuchung.'" (308)

Beide Pole müssen immer wieder zusammen gesehen werden, gerade jetzt, in dem ins Mythische gesteigerten Manas: das Gefühl der Kraft, des Stolzes und das Gefühl der Demut, das Bewußtsein der eigenen Nichtigkeit, das sich in der Sehnsucht nach dem Rückfluß in die Anonymität äußert. Manas sagt zu dem sprechenden Bobaum:

> Löst mein Fleisch von meinen Händen ab,
> Von meinem Gesicht ab,
> Mein Fleisch, bebe hin mit ihnen, mit allen,
> Wir beben zusammen.
> Mein Fleisch, Blut, mein Fühlen, ruhe nicht!
> Die Luft, das Licht, die lächelnden Mienen,
> Die schreitenden Füße, die flatternden Boote:
> Dringt in mich.
> Stürzt in mich,
> Alle.
> Wir fliehen zusammen, fliehen, fliegen zusammen. (314–315)

Auf der anderen Seite aber steht immer das „„Ich bin, ich lebe.'" (318) Manas weiß, daß er das Seil ist, an dem die Welt gezogen wird, daß also die Welt nur durch das Individuum bewegt werden kann.

Die größte Herausforderung begegnet ihm in der Stadt Amber in Gestalt eines Priesters, der das Erlöschen predigt, also wieder die genaue Gegenposition zu Manas' Selbstübersteigerung verkörpert:

> „Es ist besser zu erlöschen, um ein Ende zu machen.
> Es muß ja ein Ende sein, verstehst du, Manas?
> Vielleicht bist du genug Mensch, um das zu verstehen.
> Wir müssen einmal dieses Leben ausspeien
> Wie eine faule Frucht, einen Pilz,
> An dem wir uns vergiften." (335)

Doch Manas, dem hier eindringlich das Faktum des Todes zum Bewußtsein gebracht wird, wehrt sich gegen diesen Gedanken: „,Ich erlösche nicht,
du Frommer, / Ich – mag nicht erlöschen.'" (336) Durch die Vorhaltungen
des Priesters fühlt Manas sich so in seinem Stolz beleidigt, daß er rasend
vor Wut Schiwas Tempel zerstört, was den Gott auf den Plan ruft. Im
Kampf mit Schiwa fleht Manas das Ich an, die geistige Kraft, der sie beide
ihre Existenz verdanken:

> Manas rief das Ich an,
> Das die Lippen zu Lippen, die Zunge zur Zunge, die
> Hände zu Händen macht.
> Manas, o Manas, Sawitris geliebtes Kind,
> Rief die Seele der Seele an, das heimliche verborgene Ich,
> Das so verborgen ist wie die Luft den Augen
> Und alles trägt wie die Luft die Vögel. (355–356)

Indem Manas das Ich anruft, überwindet er Schiwa, denn auch dieser ist
nur „ein Geschaffener, ein Abkömmling" (359). Die Natur und die Menschen stellen sich auf Manas' Seite, so daß er widerstehen kann. Schiwa gibt
nach und bittet Manas, nicht die Natur gegen ihn aufzubieten:

> „Laß die Steine los, Manas, das Meer los, die Menschen.
> Biet sie nicht gegen mich auf.
> Laß sie wieder zurück, daß sie sind, was sie sind,
> Beruhigt." (362)

Nach dem Kampf hängt Manas sich – wie der büßende Schiwa – ins
Feuer, „in den Kummer der Menschen" (369), um nicht zu vergessen. Denen,
die ohne Hoffnung weinen:

> „Was bleibt vom Menschen,
> Der seine Seele dem Feuer abgibt,
> Seinen Atem dem Wind,
> Seine Augen an die Sonne,
> Sein Blut an das Wasser?" (370)

ruft er zu:

> „Ihr! Ihr!
> Versinkt nicht!
> Gebt nicht nach!
> Schiwa lebt!
> Ihr lebt nicht! Noch nicht! Ihr lebt noch nicht!" (371)

Damit stehen sich aber am Ende dieser epischen Dichtung noch einmal beide Extreme gegenüber: einerseits die Depression darüber, daß der Mensch doch nur Natur ist, daß er aufgeht in den Naturzusammenhängen, denen er letztlich gleichgültig ist, und andrerseits der Aufruf, nicht nachzugeben, nicht in der Natur zu versinken, seiner selbst bewußt zu werden als Schöpfer, zwar Teil im Plan der Natur zu sein, aber wichtigster Teil, durch den sich die Welt vorwärtsbewegt, wie es in *Das Ich über der Natur* formuliert wird. Manas als Symbol dieser ringenden, drängenden Kraft im Menschen, aber selbst zwischen „manischer Überhobenheit" und „tiefer Depression" schwankend, „ist nicht erloschen" (371).

Es ist nicht möglich, den Widerspruch, der auch in diesem Werk liegt, aufzulösen. Aber es kommt nicht darauf an, ein geschlossenes System aus diesem Buch herauszudestillieren, das auch in *Das Ich über der Natur* nur in Umrissen sichtbar wird, sondern die beiden Grundpositionen aufzuzeigen, die die Bewegung des Epos bestimmen. Eine Synthese wird kaum sichtbar. Beide Positionen gehören dem Menschen zu und bleiben mit gleichem Recht nebeneinander bestehen. Es darf auch nicht übersehen werden, daß der Manas des dritten Buches ein ins Mythische projizierter Mensch ist. Aber gerade deshalb ist es bedeutsam, daß auch er nicht frei ist von dem Bewußtsein seiner Nichtigkeit.

Die am Ende des Buches ausgesprochene Aufforderung, nicht nachzugeben, steht im Gegensatz zu der demütigen Haltung in *Berge Meere und Giganten* und zur Resignation Ferdinands in *Wallenstein*. In *Manas* stellt sich Döblin mit seinen letzten Worten doch wieder auf die Seite des tätigen Menschen. In *Berlin Alexanderplatz* und *Babylonische Wandrung* dagegen schlägt das Pendel wieder zur anderen Seite aus.

9. BEWAHRUNG UND SELBSTPREISGABE IN *Berlin Alexanderplatz*

Döblins erfolgreichster Roman, *Berlin Alexanderplatz* (1929), verdankt seine Popularität weitgehend der Ansicht, es handele sich hier um einen „Großstadt-" oder „Verbrecherroman". Trotz dieses aus dem Stoff entstandenen Mißverständnisses bleibt er das für Döblin typischste Werk; denn in keinem anderen Roman hat er sein Thema dichter und überzeugender gestaltet. Thematik und Darstellungsweise verbinden und durchdringen sich in einer Vollkommenheit, die Döblin weder vorher noch nachher erreicht hat. Hier erst ist die Überwindung des realistisch-psychologischen Romans gelungen, weil die Person des Helden nach außen und innen aufgelöst und damit aus der Isolation befreit wird und die „epische Apposition" immer wieder das zentrale Thema auf verschiedenen Ebenen spiegelt. Die Wirklichkeitselemente werden in der Art der Collage (man denke an die Schwitterschen MERZ-Bilder) neu zusammengesetzt. Döblin hat öfter darauf hingewiesen, daß die Einflüsse auf diesen Roman aus den zeitgenössischen Strömungen der Malerei, vor allem des Futurismus stammen und nicht von Joyce, dessen Imitation ihm die Kritik vorwarf.[1] Aber anders als in den meisten seiner großen Romane ist die Geschlossenheit der Komposition nie in Frage gestellt. Diese Einheit wird durch die bänkelsängerische Haltung des Erzählers bewirkt, der das Geschehen in deutlicher didaktischer Absicht vorführt, was besonders in den Buchprologen sichtbar wird.

Die Grundthematik des Werkes hat Döblin als die des Opfers bezeichnet[2] und in Beziehung zu seiner naturphilosophischen Schrift *Das Ich über der Natur* (1927)[3] gesetzt. Beides muß sich keineswegs ausschließen, wie Roland Links anzunehmen scheint.[4] Wir werden jedoch bei unserer Interpretation noch näher auf diese Probleme eingehen.

Wie die übrigen Figuren Döblins durchläuft auch Franz Biberkopf einen

---

[1] „Epilog", S. 391.
Vgl. auch: Alfred Döblin, „Nachwort zu einem Neudruck" (1955), In: *Berlin Alexanderplatz*, S. 506.
[2] Ebd.
[3] Alfred Döblin, „Mein Buch ‚Berlin Alexanderplatz'" (1932), In: *Berlin Alexanderplatz*, S. 506.
[4] Roland Links, *Alfred Döblin*, S. 62–63.

Prozeß, an dessen Ende er seine frühere herausfordernde Haltung nicht nur in Frage stellt, sondern radikal überwindet; daher ist seine Geschichte „ein Enthüllungsprozeß besonderer Art" (499). Weil Franz sich jedoch nicht bewußt mit seinem Geschick auseinandersetzt, gewinnen die Reflexionen und Ermahnungen des Erzählers, vor allem auch die thematische Spiegelung auf verschiedenen Ebenen, erhöhte Bedeutung.

Nachdem Franz aus dem Gefängnis Tegel entlassen worden ist, beginnt er sein neues Leben mit dem Vorsatz, anständig bleiben zu wollen. Die Panik vor der Freiheit treibt ihn auf Hinterhöfe zu Juden, bei denen in Form einer parabelartigen Erzählung die erste Warnung an ihn ergeht. Es ist von tieferer Bedeutung, daß diese Ermahnung gerade Juden, also denen, die sich immer wieder anpassen und preisgeben müssen, in den Mund gelegt wird. Nicht nur heißt die Kapitelüberschrift unmißverständlich „Belehrung durch das Beispiel des Zannovich" (20), sondern der Jude Nachum weist außerdem noch auf ihre Bedeutung für Franz hin: „,Ich wollt Euch ja nur die Augen aufmachen.'" (25) Die Geschichte von Stefan Zannowich kann deshalb belehrend für Franz sein, weil Zannovich „wußte von sich und den Menschen" (25), weil er die Menschen nicht fürchtete und sich der Welt unterwarf. Aber durch das Dazwischentreten Elisers, des zweiten Juden, wird die Geschichte in unerwarteter Weise zu Ende geführt: Zannovich wird gefaßt, ins Gefängnis gesteckt, endet durch Selbstmord und wird verscharrt, denn er hat „sich aufgeblasen und ist nach Brüssel gegangen als Prinz von Albanien"(28).

Franz bemerkt nicht, daß die Erzählung gleich in zweifacher Weise auf ihn bezogen ist, indem sie ihm nicht nur das positive, sondern auch das negative Beispiel vor Augen führt. Das positive Beispiel ist der Teil der Geschichte, den Nachum erzählt: Zannovich tut, was die Welt von ihm verlangt und triumphiert über sie, indem er sich ihr unterwirft. Das negative Beispiel bildet die Fortsetzung Elisers: Zannovich fordert in seiner Aufgeblasenheit das Schicksal heraus und wird von ihm vernichtet. Später erzählt ihm Nachum abermals eine Geschichte, eine Parabel von einem Ball, der nicht so geflogen ist, wie der Werfer beabsichtigte. Wieder enthält diese Parabel eine Lehre für Franz, die er jedoch nicht versteht, da er sich schon wieder in seinem Überlegenheitsgefühl sonnt: „,Franz hat seine Erfahrungen. Franz kennt das Leben. Franz weiß, wer er ist.'" (45–46) Er will eben allen „zeigen, was ein Kerl ist"(46). Es ist dieses herausfordernde Selbstgefühl, das letztlich seinen Untergang herbeiführt. Franz ordnet sich nicht im Bewußtsein seiner Nichtigkeit demütig in die übergreifenden Lebenszusammenhänge ein, sondern glaubt, auf sich allein gestellt die Welt bestehen zu können.

Zum ersten Mal hat diese Grundthematik auch eine deutlichere soziale Komponente, die den Schluß des Romans vielleicht doch nicht so unbegründet und überraschend erscheinen läßt, wie einen Walter Muschg glauben machen möchte.[5] Franzens falsche Lebenseinstellung, auf der Überschätzung seiner eigenen Person beruhend, führt zu seiner Isolation. Er steht zwar mit allerlei Gruppen und Bekannten in Verbindung, hält sich aber innerlich in Wirklichkeit von allen fern. Damit verstößt er aber gegen die Erkenntnisse, die Döblin in *Das Ich über der Natur* dargelegt hat, und nach denen der Mensch in die Natur und die Masse eingelagert ist.[6] Franzens Devise „anständig bleiben und for sich bleiben" (67) läßt die Notwendigkeit einer wirklichen Solidarität mit anderen außer acht – eine Notwendigkeit, die Franz im Laufe „seines schweren, wahren und aufhellenden Daseins" (47) anerkennen muß. So gesehen ist der Schluß des Romans durchaus motiviert. Daß auch andere Gründe wie das Aufkommen des Nationalsozialismus Döblin bestimmt haben könnten, diesen Schluß, der im Marbacher Manuskript fehlt, hinzuzufügen, wird deshalb nicht bestritten.[7]

Nachdem Franz in Berlin wieder festen Fuß gefaßt hat, fallen die Schläge auf ihn nieder, die schließlich zu seiner Selbstpreisgabe führen: der Betrug des kleinen Lüders, der Verlust seines rechten Armes und die Ermordung seiner Freundin Mieze.

Enttäuscht und gekränkt, daß sein Prinzip, anständig zu bleiben, nicht funktioniert, zieht Franz sich nach dem Betrug seines Kompagnons Lüders zurück und beginnt zu trinken; erneut begibt er sich so in die Isolation. Da er nicht einsieht, daß er selbst Lüders' Betrug herausgefordert hat, indem er mit der Eroberung seiner Witwe vor seinem Kompagnon angab, offenbart sich eine Diskrepanz zwischen seiner Vorstellung und der Lebenswirklichkeit, die der Erzähler durch die kontrastierende, leitmotivische Erwähnung des Paradieses ironisch unterstreicht. Franz sieht nur, daß die Welt nicht so beschaffen ist, wie er will, und zieht sich in verletztem Stolz aus ihr zurück. Anstatt aus dem Erlebnis die richtigen Konsequenzen zu ziehen, möchte er es am liebsten ungeschehen machen; das ist der Sinn der „Reinigungsszene" nach Lüders' Besuch: „Er spritzte mit der Hand durch die Luft:

---

[5] Walter Muschg, „Nachwort des Herausgebers", In: *Berlin Alexanderplatz*, S. 527.
[6] Dieser Abschnitt aus *Das Ich über der Natur* wurde 1927 unter dem Titel „Vom Ich und vom Ur-Sinn in *Die Neue Rundschau* XXXVIII (1927), S. 283–301 veröffentlicht.
[7] Vgl. Helmut Becker, *Untersuchungen zum epischen Werk Alfred Döblins am Beispiel seines Romans „Berlin Alexanderplatz"*, S. 77–78.

Muß alles sauber werden, muß alles weg; jetzt noch das Fenster auf und pusten; wir haben damit nichts zu tun." (126)

Diese Erfahrung, die als Warnung verstanden werden muß, welche ihm das Leben sendet, bleibt ohne tiefere Wirkung. Nachdem der Erzähler Franz ermahnt hat, das Trinken zu lassen, kehrt er zu seinen jüdischen Freunden zurück, um ihnen den „Abschiedsmarsch" (139) zu blasen, was abermals beweist, daß er ihre Lehren in den Wind schlägt. Da sein Weg jetzt genau parallel zu dem verläuft, den er nach seiner Entlassung gegangen ist, wird deutlich, daß er in der Welterkenntnis keinerlei Fortschritte gemacht hat. Im Gegenteil; zweifellos ist sein Selbstbewußtsein wiedererstarkt: „Das 11. Gebot heißt: Laß dir nicht verblüffen." (142)

Im fünften Buch begegnet Franz dem stotternden Reinhold, dem Mann, der die zwei entscheidenden Schläge gegen ihn führen wird, der Inkarnation des Bösen. Er ist „die kalte Gewalt, an der sich nichts in diesem Dasein verändert" (456). Es ist bezeichnend für die Kompositionsweise des Romans, daß vor der Begegnung mit Reinhold die Stimme (des Todes) warnend zu Franz spricht, worüber dieser jedoch nur lacht:

„Du kannst noch hundert Jahre so sprechen. Ich lach ja nur drüber."
„Lach nicht. Lach nicht."
„Weil du mich nicht kennst. Weil du nicht weißt, wer ich bin. Wer Franz Biberkopf ist. Der fürchtet sich vor nichts. Ich hab Fäuste. Sieh mal, was ich für Muskeln habe." (175)

Diese prahlerische, selbstsichere Haltung fordert erneut das Schicksal heraus; der zweite Schlag, von Reinhold geführt, läßt nicht lange auf sich warten. Wie Ferdinand von Wallenstein, so ist auch Franz von Reinhold fasziniert. Minder deutet dieses Verhältnis psychologisch als Verfallenheit an die Macht und weist auf „die erotische Wurzel solcher Machthörigkeit" hin.[8] Aber er verkennt dabei doch, daß Franz diesen Reinhold zu bessern sucht und den Kampf mit ihm aufnimmt. Da aber Franz in Reinhold das Böse begegnet, das er in dem gesteigerten Gefühl eigener Stärke herausfordert, muß er unterliegen, zumal er glaubt, ihm a l l e i n gegenübertreten zu können.

Vor der entscheidenden Begegnung mit Reinhold wird erstmalig der Berliner Schlachthof beschrieben. Scheinbar handelt es sich hier – wie so oft in diesem Roman – nur um eine Schilderung Berliner Lokalitäten, die den atmosphärischen Hintergrund der Handlung bilden. Aber die leitmotiv-

---

[8] Robert Minder, „Alfred Döblin", S. 152.

artige Wiederkehr von Bruchstücken dieser Beschreibung[9] deutet darauf hin, daß dieser Gang des Erzählers durch den Schlachthof symbolisch erneut auf die Macht des Todes und des Opfers hinweist – neben der Stimme des Todes selbst[10] – und den Versen aus dem Volkslied vom Schnitter Tod[11], so daß er immer eindringlicher im Roman spricht.

Es ist auch keinswegs zufällig, daß im vierten Buch, also ebenfalls vor der Begegnung mit Reinhold, das Gespräch der Stimme mit Hiob in den Schlachthofbesuch eingeschaltet ist. Erst sehr viel später gibt der Erzähler einen direkten Hinweis darauf, daß auch dieses Gespräch auf Biberkopfs Schicksal bezogen werden muß, daß Hiob zu Franzens Spiegelbild wird.[12] Überdies weist der Erzähler noch durch die Überschriften zu den die Hiob-Passagen umrahmenden Schlachthofbeschreibungen, die Zitate aus dem Alten Testament sind (3. Kapitel des Predigers Salomo), auf die Todes-verfallenheit des Menschen hin: „Denn es geht dem Menschen wie dem Vieh; wie dies stirbt, so stirbt er auch" (145) und: „Und haben alle einerlei Odem, und der Mensch hat nichts mehr denn das Vieh." (157)

Die Hiob-Episode ist entscheidend für das Verständnis des Buches, eben-so wie später die freie Nacherzählung der Geschichte Abrahams und Isaaks, wobei die Veränderung, die der Erzähler an den biblischen Geschichten vor-nimmt, besonders bedeutsam ist. Im Alten Testament ist Hiob der im Reich-tum Lebende, von dem Gott gegenüber Satan behauptet, daß er allen Ver-suchungen absagen wird. Hiob stürzt ins Elend, er verliert alles, seine Kin-der sterben, ihn selbst befällt der Aussatz. Er bejammert sein Unglück und beginnt mit Gott zu rechten, von dessen Gerechtigkeit er dennoch über-zeugt ist. Er verlangt von Gott, geheilt zu werden oder zu sterben. Als Gott schließlich zu Hiob spricht, erkennt dieser die Torheit seiner Rede, spricht sich schuldig und tut Buße. Daraufhin erlöst Gott ihn von seinem Leiden.

Von dieser Erzählung übernimmt Döblin nicht viel mehr als die Grund-situation. Denn in *Berlin Alexanderplatz* will Hiob selbst nicht, daß ihm geholfen wird:

> Die Stimme ihm gegenüber: „Gott und der Satan, Engel und Menschen, alle wollen dir helfen, aber du willst nicht – Gott aus Liebe, der Satan, um dich später zu fassen, die Engel und die Menschen, weil sie Gehilfen Gottes und des Satans sind, aber du willst nicht." ...

[9] *Berlin Alexanderplatz*, S. 145, 157, 188, 245, 385, 387.
[10] Ebd. S. 16, 17, 20, 24, 126, 174.
[11] Ebd. S. 200–201, 248, 264, 296, 379, 387, 408, 422, 491, 499.
[12] Ebd. S. 418.

Hiob ununterbrochen: „Nein, nein." Er suchte die Stimme zu ersticken, sie steigerte sich, steigerte sich immer mehr, sie war ihm immer um einen Grad voraus. Die ganze Nacht. Gegen Morgen fiel Hiob auf das Gesicht.
Stumm lag Hiob.
An diesem Tage heilten seine ersten Geschwüre. (156—157)

Hiob w i l l nicht geheilt werden, denn die Heilung würde seine Selbstpreisgabe bedeuten, sein Sich-Finden in die Rätselhaftigkeit des Geschehens. Sie würde von ihm das Eingeständnis seiner Ohnmacht und Unwissenheit verlangen und die Einsicht in seine Schwäche bedeuten:

„Das ist es Hiob, woran du am meisten leidest. Du möchtest nicht schwach sein, du möchtest widerstreben können, oder lieber ganz durchlöchert sein, dein Gehirn weg, die Gedanken weg, dann schon ganz Vieh." (156)

Hiob will die Heilung, aber er kann erst geheilt werden, wenn er sich ganz aufgibt, wenn er nicht mehr widerstrebt. Bemerkenswert ist, daß gerade hier das Schlüsselwort des *Wang-lun* „Widerstreben – Nicht-Widerstreben" auftaucht. Die Parallele zu Franz ist deutlich, selbst wenn der Erzähler sie nicht ziehen würde: Auch Franz, der mit seiner Stärke prahlt, kann nicht eher von seiner Weltblindheit geheilt werden, bis er bereit ist, sich aufzugeben.
Bald wird Franz des „schwunghaften Frauenhandels", den er mit Reinhold betreibt, überdrüssig und glaubt, den Stotterer erziehen zu sollen. Seine Überheblichkeit zeigt sich noch deutlicher, wenn er im Beisein Reinholds vor seinem alten Freund Meck mit seinen Erfolgen als Pädagoge prahlt: „‚Was, Meck, wir schaffen Ordnung in der Welt, wir schmeißen das Ding, uns soll einer kommen.'" (213) Damit wiederholt Franz nicht nur den in der Lüders-Affaire schon einmal gemachten Fehler, sondern er macht durch sein selbstgefälliges Benehmen Reinhold erst auf seine Schülerrolle aufmerksam. Aus demselben naiven Gefühl seiner Stärke gerät Franz auch in die Pumssche Einbrecherbande, der Reinhold angehört, und er wird ahnungslos in ein Verbrechen verwickelt. Zu spät erkennt er seinen Irrtum, er kann nicht mehr ausweichen. Mit eiserner Hand zwingt ihn der „andere Reinhold" (230) dazubleiben:

Und er kam nicht weg vom Fleck, er war an die Stelle gebannt; seit Reinhold ihn geschlagen hatte, war das, da war er angenagelt. Er wollte, er mochte, aber es ging nicht, es ließ ihn nicht los. Die Welt ist von Eisen, man kann nichts machen, sie kommt wie eine Walze an, auf einen zu, da ist nichts zu machen, da kommt sie, da läuft sie, da sitzen sie drin, das ist ein Tank, Teufel mit

Hörnern und glühenden Augen drin, sie zerfleischen einen, sie sitzen da, mit ihren Ketten und Zähnen zerreißen sie einen. Und das läuft und da kann keiner ausweichen. Das zuckt im Dunkeln; wenn es Licht ist, wird man alles sehen, wie es daliegt, wie es gewesen ist. (229)

Hier ergreift ihn blitzartig die Erkenntnis, daß der einzelne der Welt ausgeliefert ist, daß vor der Welt, die vernichtend auf den Menschen zukommt, kein Ausweichen möglich ist. Aber die Zeit, da ihn diese Erkenntnis ganz durchdringen wird, da er sich nicht mehr bewahrt, sondern aufgibt, ist noch nicht gekommen, denn dazu bedarf es noch eines schwereren Schlages. Obwohl er den rechten Arm verloren hat, glaubt er immer noch an seine Stärke:

> Er ist in einem Zorn, daß man ihn gezwungen hat, es soll ihn keiner mehr zwingen, der Stärkste nicht. Er hebt gegen die dunkle Macht die Faust, er fühlt etwas gegen sich stehen, aber er kann es nicht sehen, es muß noch geschehen, daß der Hammer gegen ihn saust. (235)

Er hat keineswegs sein Selbstbewußtsein verloren, er stellt sich und seine Überzeugungen nicht in Frage. Im Gegenteil: eine „bedenkenlose Sicherheit" (245) erfüllt ihn. „Ich habe etwas zu tun, es wird etwas geschehen, ich rücke nicht aus, ich bin Franz Biberkopf." (245) Er ist immer noch „die alte Kobraschlange" (259), immer noch der alte, „der vor dem Tod wegläuft" (259).

Franz treibt es zurück zu Reinhold, um seine Stärke zu erproben, wodurch er erneut das Schicksal herausfordert. Bevor Franz diesen verhängnisvollen Gang zu Reinhold tut, ist wieder eine freie Nacherzählung aus dem Alten Testament eingeschaltet: das Opfer Abrahams. Aber auch hier wird die Erzählung in charakteristischer Weise umgedeutet und bleibt so auf das Schicksal Biberkopfs bezogen. Es geht nicht mehr darum, Abrahams Glauben zu prüfen, sondern um die Einwilligung Isaaks in seine eigene Opferung:

> Komm doch bald, ich darf dich nicht morden; wenn ich es tue, muß es so sein, als wenn du es selbst tust. Ich selbst tue? Ah. Ja, und keine Furcht haben. Ah. Und das Leben nicht lieben, dein Leben, denn du gibst es für den Herrn hin. . . . Du mußt nur wollen und ich muß es wollen, wir werden es beide tun, dann wird der Herr rufen, wir werden ihn rufen hören: Hör auf. Ja; komm her, gib deinen Hals. Da. Ich hab keine Furcht, ich tu es gern. . . .
> Der Sohn will es. Der Herr ruft. Sie fallen beide auf das Gesicht. (312—313)[13]

---

[13] Vgl. auch ebd. S. 343.

Isaak muß zu seinem Opfer selbst ja sagen, er muß es bewußt vollziehen lassen, sonst kann es nicht dargebracht werden. Dann erst wird ihm das Leben wiedergeschenkt. Franz kann nicht einfach vom Leben überwältigt werden, denn dann wäre sein Tod sinnlos. Erst durch die bewußte Einsicht in die Notwendigkeit, sich selbst preiszugeben, sich nicht nur in seiner Individualität zu bewahren, kann ihm am Ende des Romans sein Leben wiedergeschenkt werden. Albrecht Schöne, der bisher die schlüssigste Interpretation des Romans geliefert hat, weist gerade im Hinblick auf diese Episode mit Recht darauf hin, daß in Wahrheit „der Akzent immer nur auf dem Aspekt des Einwilligens des Opfers in die Opferung" liege.[14]

Wie weit Franz von diesen Einsichten noch entfernt ist, wie sehr er immer noch an seine Stärke glaubt, zeigt sein erneuter Besuch bei Reinhold: „Ja, das ist das Schönste von allem: der schmeißt mir nich um." (327) Franz erzählt ihm von Mieze und bringt so seinen Gegner auf den Gedanken, ihm hier den letzten Schlag zu versetzen, den Franz wieder durch seine Prahlerei und Überheblichkeit provoziert. Mieze, die Franz hingebungsvoll liebt und bereit ist, sich für ihn zu opfern, will die Wahrheit in seinem Verhältnis zu Reinhold ergründen. Sie tritt mit Mitgliedern der Pums-Bande in Verbindung, um Franz vor neuem Unheil zu bewahren. Aber sie überschätzt dabei – ebenso wie Franz – ihre Kräfte: „es wird sie nicht umschmeißen" (371). Reinhold ermordet sie und beweist so, daß sie zu schwach war, um in diesem Kampf bestehen zu können. Miezes Ermordung, der letzte Schlag, kann Franz nur deshalb tödlich treffen, weil er zum ersten Mal in seinem Leben wirklich liebt. Wieder zieht sich durch diesen Abschnitt ein Zitat aus dem dritten Kapitel des Predigers Salomo: „Ein jegliches, ein jegliches hat seine Zeit . . ."[15], wodurch abermals auf die Macht des Todes hingewiesen wird, ebenso wie durch die Schlachthof-Reminiszenzen und das Lied vom Schnitter Tod.

Miezes Verschwinden läßt Franz zunächst noch unbeeindruckt: „„Weil an mir so bald keiner rankommt."' (395) Aufs neue aber spricht eindringlich die Stimme zu ihm, um ihn auf das Kommende, „das Alleräußerste", die notwendige Selbstpreisgabe hinzuweisen:

Du hast nicht so viel verloren wie Hiob aus Uz, Franz Biberkopf, es fährt auch langsam auf dich herab. Und schrittchenweise ziehst du dich heran an das, was

[14] Albrecht Schöne, „Döblin. Berlin Alexanderplatz", In: *Der deutsche Roman vom Barock bis zur Gegenwart*, ed. Benno von Wiese (Düsseldorf, 1963), II, S. 307 und Anm. S. 443–444.
[15] *Berlin Alexanderplatz*, S. 380, 381, 382, 384, 386, 387, 400.

dir geschehen ist, tausend gute Worte gibst du dir, du schmeichelst dir, denn du willst es wagen, du bist entschlossen, dich zu nähern, zum Äußersten entschlossen, aber oh weh auch zum Alleräußersen? Nicht das, oh nicht das. Du sprichst dir zu, du liebst dich: oh komm, es geschieht nichts, wir können doch nicht ausweichen. Aber in dir will es nicht. . . . Du wirst keine Gelder verlieren, Franz, du selbst wirst bis auf die innerste Seele verbrannt werden! (418—419)

Erst als Franz durch die Zeitung erfährt, daß Mieze tot ist und er selbst als Mörder gesucht wird, fängt er an zu begreifen, daß er wehrlos einem erbarmungslosen Schicksal gegenübersteht:

> Unter dem Auto lag er, das war wie jetzt, da ist eine Mühle, ein Steinbruch, der schüttet immer über mich, ich nehme mich zusammen, ich kann mich halten, wie ich will, es nutzt nichts, es will mich kaputt machen, und wenn ich ein Balken aus Eisen bin, es will mich kaputt brechen. (423)

Wie die anderen Helden Döblins steht er einem übermächtigen Schicksal gegenüber; wie sie ist auch er schließlich bereit zur Selbstpreisgabe: „Wat liegt an mir. Mir könnt ihr auf'n Misthaufen schmeißen.'" (425) Im Gespräch der beiden Schutzengel wird jedoch klar, warum Franzens Weg hier noch nicht zu Ende ist: er ist im Begriff, sehend und fühlend zu werden. Die meisten, die viel erfahren haben und viel wissen, entweichen in den Tod; Franz dagegen ist stark und unverbraucht, er hat schon zweimal standgehalten, darum ist er in der Lage, die Erfahrungen durchzuleben, durchzufühlen und dennoch nicht zu entweichen:

> „Aber nachdem man vieles erlebt und erkannt hat, noch festzuhalten, nicht hinabzusteigen, nicht zu sterben, sondern sich auszustrecken, hinzustrecken, zu fühlen, nicht auszuweichen, sondern sich zu stellen mit seiner Seele und standzuhalten, das ist etwas." (435)

Franz soll hier also nicht nur vor die Erkenntnis gebracht werden, daß seine Selbsteinschätzung arrogant und hybrid war, und daß er sich aufgeben muß, sondern er soll diese Erkenntnis auch überleben, um sie praktizieren zu können. Das aber ist nur möglich, wenn das Schicksal nicht mehr der starre, unbeugsame Weltenlauf, das Tao, ist, sondern wenn der Mensch bestimmend an ihm teilhat. Deshalb wird das Schicksal Franzens als ein durch Arroganz und Unwissen selbst provoziertes Schicksal vorgeführt. Ähnlich wie bereits in *Berge Meere und Giganten* räumt Döblin hier dem Helden ein größeres Maß an Selbstbestimmung ein als in *Wang-lun* und *Wallenstein*. Der Kausalzusammenhang zwischen eigenem Handeln und dem daraus resultierenden Schicksal, die Verantwortlichkeit für das eigene Handeln wird hier deutlicher.

In der Irrenanstalt Buch, wo Döblin früher tätig war, redet die Macht des Todes „Fraktur" mit Franz. „Sie klärt ihn über seine Irrtümer, seinen Hochmut und seine Unwissenheit auf." (453) Der Tod nämlich war es, der die Schläge gegen Franz geführt hat:

> „Ich stehe hier, und habe zu registrieren: Der hier liegt und sein Leben und seinen Körper preisgibt, ist Franz Biberkopf. . . . Ja, du hast recht gehabt, Franz, daß du zu mir kamst. Wie kann ein Mensch gedeihen, wenn er nicht den Tod aufsucht? Den wahren Tod, den wirklichen Tod. Du hast dich dein ganzes Leben bewahrt. Bewahren, bewahren, so ist das furchtsame Verlangen der Menschen, und so steht es auf einem Fleck, und so geht es nicht weiter. Als Lüders dich betrog, hab ich zum erstenmal mit dir gesprochen, du hast getrunken und hast dich — bewahrt! Dein Arm zerbrach, dein Leben war in Gefahr, Franz, gesteh es, du hast in keinem Augenblick an den Tod gedacht, ich schickte dir alles, aber du erkanntest mich nicht, und wenn du mich errietst, du bist immer wilder und entsetzter — vor mir davongerannt. Dir ist nie in den Kopf gekommen, dich zu verwerfen und was du begonnen hast. . . . Ich bin das Leben und die wahre Kraft, du willst dich endlich, endlich nicht mehr bewahren!" (474–475)

Das Paradox des letzten Satzes ist nur von Döblins Schrift *Das Ich über der Natur* her verständlich. Der Tod ist das Leben in dem Sinne, daß er die Macht ist, die das geformte und formbewußte Individuum, das sterblich ist, zerstört und es zurückführt in die Welt des Anonymen, die allein ewig ist; der Tod erst öffnet die Tür zum Rückstrom in die ewige Welt der anonymen Naturvorgänge.

Erregt hält der Tod Franz seine eingebildete Stärke vor, durch die er das Schicksal herausgefordert hat. Deutlich wird Franzens Unglück aus seinem falschen Anspruch an die Welt hergeleitet, anständig und stark sein zu wollen. Aber die andere Seite von Franzens Stärke ist — wie der Engel gesagt hat —, daß er standhalten, daß er die Mahnpredigt des Todes überleben kann. Er darf nur nicht mehr versuchen, in seiner Unwissenheit die Dinge lenken zu wollen, sondern muß sie „herankommen lassen" (480). Er darf nicht in seiner Isolation verharren, sondern muß in eine lebendige Kommunikation mit der Umwelt eintreten — so wie der Erzähler — und darauf hat Schöne mit Recht hingewiesen — die Isolation des Helden auflöst und ihn durch das Phänomen der „Resonanz" in allseitige Kommunikation mit der Umwelt setzt.[16] Das unterstreicht gerade der Abschnitt „Herankommen lassen . . ." (480) besonders.

Alle passieren noch einmal Revue: Lüders, Reinhold, in dem Franz schließlich den Teufel erkennt. Er bereut: „Warum hab ick mir in den verbissen. . . . Gegen den komm ich nicht auf, ich hätt es nicht gesollt." (483) Ida kommt mit Mieze. Franz weint, bereut und „wirft sich zum Opfer hin an den Schmerz" (487). Er erklärt sich schuldig und stellt damit sich und sein Handeln in Frage. Der Tod hat nichts Schreckliches an sich. Er löst zwar das Individuum auf, ebenso wie der Schmerz aus der Auflösung der individuellen Form entsteht, aber er eröffnet den Zugang zu der Welt der Anonymität, die die eigentliche, die wahre Welt ist.

Weil Franz stark genug ist, den falschen Anspruch seiner Stärke einzusehen, sich aufzugeben, seine Fehler und seine Schuld einzugestehen, erhält er die Chance eines Neubeginns. Er endet als „Hilfsportier in einer mittleren Fabrik" (499) und ist nicht mehr isoliert:

> Er steht nicht mehr allein am Alexanderplatz. Es sind welche rechts von ihm, und links von ihm, und vor ihm gehen welche, und hinter ihm gehen welche. Viel Unglück kommt davon, wenn man allein geht. (499—500)

Erst Wachheit und Solidarität mit anderen ermöglichen es, dem Schicksal zu trotzen und es zu überwinden:

> Wach sein, wach sein, man ist nicht allein. Die Luft kann hageln und regnen, dagegen kann man sich nicht wehren, aber gegen vieles andere kann man sich wehren. Da werde ich nicht mehr schreien wie früher: das Schicksal, das Schicksal. Das muß man nicht als Schicksal verehren, man muß es ansehen, anfassen und zerstören.

> Wach sein, Augen auf, aufgepaßt, tausend gehören zusammen, wer nicht aufwacht, wird ausgelacht oder zur Strecke gebracht. (501)

Dieser Schluß hat die meisten Interpreten verwirrt.[17] Becker meint, „der entscheidende Durchbruch von einer egoistisch-animalischen Seinsstufe zur höheren der bewußten, sich in den Lebenszusammenhang einfügenden Person" werde durch „den Kollektivmythos des Schlusses" wieder rückgängig gemacht.[18] Er berücksichtigt aber nicht den doppelten Aspekt, unter dem der Mensch steht, besonders im Anschluß an *Das Ich über der Natur*, in dem die Massenhaftigkeit der Wesen und Vorgänge – nicht nur in biologischer oder chemischer, sondern auch in sozialer Hinsicht – immer wieder hervor-

---

[16] Schöne, bes. S. 308–311.
[17] Zur Problematik des Schlusses vgl. Becker, S. 76–80.
[18] Ebd. S. 76.

gehoben wird. Gerade die bewußte Einordnung in die Lebenszusammenhänge fordert eine Einordnung auch in die Masse. Beides ist kein Widerspruch, sondern bedingt sich. Auch Schöne kann hier nur einen Widerspruch
konstatieren zwischen den Lehren, die der Tod und das Leben Biberkopf
erteilen.[19] Er meint, Biberkopf sei doch nicht allein gewesen, als er mit der
Pums-Bande den Einbruch unternahm. Aber die Mitglieder der Pums-Bande
sind ebensowenig wie die anderen Bekannten Franzens die r i c h t i g e n
Nebenleute; auf die es ankommt. In einem bei Muschg zitierten Text eines
Schutzumschlages heißt es nämlich: „Man fängt nicht sein Leben mit guten
Worten und Vorsätzen an, mit Erkennen und Verstehen fängt man es an
und mit dem richtigen Nebenmann."[20]

Außerdem ist dieser Schluß wohl vorbereitet durch die vielen politischen
Versammlungen, die Franz besucht und die Diskussionen, die er in den Knei-
pen um den Alexanderplatz führt. In einer dieser Diskussionen geht es ganz
deutlich um die Frage der Solidarität. Franz prahlt damit, daß er alles
allein kann, auch das ein Zeichen seiner Stärke: „Selbst ist der Mann. Ich
mache allein, wat ich brauche. Ich bin Selbstversorger!'" Der Arbeiter aber
entgegnet ihm: „Und das hab ich dir nu schon drei dutzendmal gesagt:
alleene kannste nicht machen. . . . Du kennst nicht die Hauptsache beim
Proletariat: Solidarität.'" (298) Nicht zufällig wird mehrfach die Inter-
nationale gesungen.

Der letzte Abschnitt, durch Schrägdruck abgesetzt, geht über den Roman
hinaus. Es ist eine Vision der revolutionären Massen, die in den Krieg
ziehen, um die Freiheit zu erkämpfen. Diese letzten Sätze durchzieht allerdings eine unüberhörbare Ironie, die wohl den Mißbrauch der Massen bloß-
stellen soll.

Von der epischen Dichtung *Manas* einmal abgesehen ist hier im Gegen-
satz zu den früheren Romanen, in denen der Mensch hoffnungslos seinem
Schicksal ausgeliefert ist, vor dem er kapitulieren muß, erstmalig der
Mensch verantwortlich für sein Schicksal, nicht zuletzt, weil er es durch
Solidarität mit anderen verändern kann. Die radikale Position des *Wang-
lun* erscheint deutlich gemildert. Blieb früher nur Tod oder Kapitulation,
demütige Anerkennung der überindividuellen Mächte, so gibt es jetzt ein
Überleben, wenn man den eigenen Anspruch der Stärke preisgibt und sich
sozial einordnet. Diese positive Wendung wird jedoch in *Babylonische
Wandrung* wieder ironisch in Frag gestellt.

[19] Schöne, S. 302.
[20] Walter Muschg, *Die Zerstörung der deutschen Literatur*, S. 93.

10. DIE IRONISIERUNG DER OPFER-IDEE IN
Babylonische Wandrung

Der Roman *Babylonische Wandrung* mit dem bezeichnenden Untertitel *Oder Hochmut kommt vor dem Fall*, der 1934 zuerst im Exil-Verlag Querido in Amsterdam erschien, begleitete Döblin auf seiner Flucht aus Deutschland. In *Schicksalsreise* schrieb er rückblickend über Entstehung und Thema des Romans:

> Es war das Gefühl von Schuld, vieler Schuld, großer Schuld. Unerträglich war das geworden, und der Wille zum Entrinnen ließ nicht nach. Es wurde ein Befehl zum Aufbruch. Das geisterte in dem Bild des verschimmelten babylonischen Gottes. Es war die Vorwegnahme des Exils, und noch vieles mehr. ... Mein Gott „Konrad" wollte nicht büßen und bis zum Schluß hielt er stand, blieb in einem Lachen und — büßte — nicht. ... Ich verhöhnte die tiefere Erfahrung, über die ich schon verfügte und das Bild, in dem diese tiefere Erfahrung sprach, benutzte ich lange zu nichts anderem als zu Spässen.[1]

Die „tiefere Erfahrung", von der Döblin hier spricht, ist die des *Berlin Alexanderplatz*, ja die seiner ganzen, der *Babylonischen Wandrung* voraufliegenden Romane: das Bewußtsein, einem übermächtigen Schicksal ausgeliefert zu sein, demgegenüber nur Aufgabe, Resignation, Demut und Opfer möglich sind, weil sich jedes Widerstreben als sinnlos erweist. Klarer noch hat Döblin die Ironisierung dieser Einstellung durch die *Babylonische Wandrung* im „Epilog" ausgesprochen:

> Dieser Gott „Konrad" war schuldbeladen, ein viel schwererer Verbrecher als Franz Biberkopf, der einfache Transportarbeiter aus Berlin. Aber er war noch weniger geneigt, mit sich und an sich etwas vorzunehmen.
> Dies Buch „Babylonische Wandrung" verspottete schrecklicherweise die Opfer-idee des „Alexanderplatz". Der Gott Konrad denkt absolut nicht daran, zu büßen, er fühlt sich nicht einmal entthront, abgedankt, und in dieser Haltung verbleibt er.[2]

Wie in *Wadzek* so „rutschte" Döblin auch hier sein ursprünglicher Plan aus.[3] „Das Thema verschob sich ihm während der Niederschrift ins Ko-

---

[1] *Schicksalsreise, Bericht und Bekenntnis*, S. 395–396.
[2] „Epilog", S. 392.
[3] Ebd.

mische."[4] Die inneren Beziehungen zwischen Autor und „Helden" liegen auf der Hand und sollen hier nicht näher erörtert werden, ebensowenig wie die Schwächen der Komposition des Romans, auf die immer wieder hingewiesen wird.[5]

Auch Konrad geht – wie Biberkopf – den Weg von der Herausforderung in die Selbstpreisgabe, vom Hochmut in die Demut. Seine Existenz umfaßt die größten Extreme: aus einem Gott wird ein Pariser Clochard. Ironie und Satire entstehen auch hier aus dem Kontrast zwischen Konrads verblichener Göttlichkeit und der irdischen Wirklichkeit. Sie haben die Funktion, Konrads Hochmut immer aufs neue zu entlarven und zu erschüttern. „In diesem antiheroischen Effekt finden wir den Schlüssel zum Verständnis des ganzen Romans und damit auch seiner Helden."[6] Der Erzähler „setzt alles in ein Verhältnis zu allem und damit alles in ein Verhältnis zur Ironie"[7], sich selbst dabei nicht ausnehmend.

Wie in *Berlin Alexanderplatz* so bleiben auch hier die zahlreichen und manchmal sehr weitgehenden Digressionen auf den Hauptstrang der Handlung bezogen, so daß die Thematik fazettenartig gespiegelt wird. Viele dieser „Appositionen" entspringen aber auch lediglich der Erzähllaune und dienen nur dazu, menschliche Schwächen satirisch-ironisch zu beleuchten, worunter allerdings die Geschlossenheit des Romans nicht wenig leidet.

Der Gott Marduk, den der Erzähler vorzugsweise „Konrad" nennt, sieht sich eines Tages durch den Fluch eines gewissen Jeremias aus seinem Himmel vertrieben, denn die ihn ernährenden Opfergerüche bleiben aus. Mit Georg, einem Untergebenen, der in seinem himmlischen Palast an eine Säule gekettet war, fliegt Konrad auf die Erde, wo er büßen und bereuen soll. Er lernt das Menschsein zunächst nur in seinen angenehmen Seiten kennen – die Schattenseiten ignoriert er –, während sich Georg zu einem Verbrecher großen Stils entwickelt, auf dessen Kosten Konrad lebt. Ihre Wanderung durch das menschliche Leben führt sie zunächst nach Bagdad, wo sich als dritter aus dem babylonischen Himmel der alte Waldemar zu ihnen gesellt, dann nach Konstantinopel, Zürich und schließlich nach Paris. Konrads Hochmut besteht darin, daß er allen Erfahrungen zum Trotz an

[4] Walter Muschg, „Nachwort des Herausgebers", In: *Babylonische Wandrung*, S. 669.
[5] Vgl. Walter Muschg, *Die Zerstörung der deutschen Literatur*, S. 101.
  Roland Links, *Alfred Döblin*, S. 100 und 102.
  Muschg, „Nachwort des Herausgebers", S. 674–675.
[6] Hansjörg Elshorst, *Mensch und Umwelt im Werk Alfred Döblins*, S. 77.
[7] Hugo von Hofmannsthal, „Die Ironie der Dinge", In: *Gesammelte Werke, Prosa IV* (Frankfurt, 1966), S. 40.

seinem göttlichen Anspruch festhält, nicht für seine Grausamkeit und das Elend, das er über die Menschen gebracht hat, büßen will, sondern in seinem Stolz verharrt. Konrad ist also in einer ähnlichen Situation wie Biberkopf in *Berlin Alexanderplatz*, als ihm bei seiner ersten Eroberung Berlins die Stimme des Todes ins Gewissen redet: „Bereuen sollst du; erkennen, was geschehen ist; erkennen, was nottut!"[8] Wie Franz wird auch Konrad von „Schlägen" getroffen, die jedoch seine hochmütige und selbstsichere Haltung zunächst kaum erschüttern können, denn „unangenehme Dinge ließ er schwer an sich herankommen" (18).

Konrad, fest entschlossen, seine Sache nicht verloren zu geben und seine Entmachtung zu revidieren, zieht es zunächst nach Babylon, an die Stätte seiner größten Verehrung. Aber die Tatsache, daß er hier, geführt von einem deutschen Archäologen (!), dem Verfall, der Vergänglichkeit und dem Tod begegnet – Phänomenen, die die Grenzen des Individuums deutlich werden lassen, – berührt ihn nur einen Augenblick. Es ist von symbolischer Bedeutung, wenn Konrad während seines Ganges durch die Ruinen dreimal stürzt. Im Grunde erfüllt ihn das Erlebnis jedoch nur mit Wut und ohnmächtiger Erbitterung, denn anders als Hiob wendet sich Konrad gegen sein Schicksal. Er fühlt sich entwürdigt und gedemütigt. Verzweifelt fragt er nach seiner Schuld und dem Warum seiner Buße und seiner menschlichen Existenz. Aber er wäre nicht Konrad, wenn diese Verzweiflung anhielte. Er wehrt sich gegen jeden Gedanken von Schuld und gegen die Buße, die ihm aufgebürdet wurde, so daß er — wie Biberkopf — angeredet wird: „O du eiserne Stirn! Durch welches Feuer wirst du gehen müssen, bis du schmilzt." (90-91) Doch bald, auf dem Weg nach Bagdad zu neuen Abenteuern, ist alles vergessen. Das Erlebnis, das ihn erschüttern sollte, bleibt letztlich ohne großen Eindruck auf ihn: „‚Sowas wie auf dem Trümmerfeld, daß Wir an Uns zu zweifeln beginnen, darf nicht noch einmal vorkommen'" (95) Konrad spricht von sich schon wieder im pluralis maiestatis; er bleibt das „unausrottbare Großmaul" (103). Obwohl ihm die angenehmen Seiten des menschlichen Daseins zu behagen beginnen, möchte er sich doch nicht „zu tief ins Menschliche verlieren. Das könnte meinem p. p. Nachfolger gefallen. Wir sind und bleiben Babylonier.'" (120)

Nachdem der alte Waldemar zu ihnen gestoßen ist, wird deutlich, daß Konrad zwischen den Extremen steht, die sich in beiden Figuren verkörpern. In Georg wird – ähnlich wie in Reinhold – die Gewalt, das Böse, die

---

[8] *Berlin Alexanderplatz*, S. 24.

ruhelose Aktivität dargestellt, während Waldemar, der später „der Weise"
genannt wird, die Passivität repräsentiert.

Durch Nachhilfestunden in Babylonisch soll das alte Gefühl der Über-
legenheit wiederhergestellt werden. Aber zu seiner Bestürzung muß Konrad, der einem Betrüger in die Hände gefallen ist, erkennen, daß er nichts
mehr versteht. Allein dieser neue „Schlag" ruft nur abermals sein Widerstreben hervor. Er weiß, sie sind Flüchtlinge, Ausgestoßene, aber er will
seine tatsächliche Situation nicht akzeptieren: „,Aber ich will nicht, ich will
nicht. Ich kann doch nicht hier versinken, kampflos untergehen.'" (158)
Immer noch kämpft er „um Revision des Urteils" (181) gegen sich. Er will
nach Babylon zurückkehren, um wieder alle Fäden in die Hand zu nehmen.

In dieser Situation begegnet Konrad erstmalig dem leitmotivisch immer
wiederkehrenden Kamel Kamilla, das auf groteske Weise sein eigenes
Schicksal spiegelt.[9] Wie Konrad hat sich Kamilla zwar äußerlich den Ver-
hältnissen angepaßt, ist aber innerlich von Stolz und Hochmut erfüllt und
träumt von ihrer großen Vergangenheit. Auch Konrad will sich und seine
große Vergangenheit nicht aufgeben; er wehrt sich gegen die Vorhaltungen
Kamillas und gegen sein Schicksal: „,Ich komme nicht auf den Hund — wie
Sie! Ich phantasiere nicht! Von mir werden Sie noch etwas erleben. Wenn
ich Fehler gemacht habe, haben Sie sie mir nicht vorzuhalten. Verstehen
Sie?'" (195)

Konrads Rückkehr nach Babylon wird jedoch vereitelt, denn die Polizei,
die Georg aus geschäftlichen Rücksichten zu fürchten hat, ist ihnen auf die
Spur gekommen. Man setzt sich nach Konstantinopel ab, wo sich Konrads
Schicksal zu erfüllen beginnt. Hier nämlich lernt er in der Liebe scheinbar
nur eine neue Lustquelle kennen, gleichzeitig begegnet ihm durch sie aber
auch das Leid, der Schmerz und schließlich der Tod, die Phänomene, die
immer bei Döblin die Selbstherrlichkeit des **Helden in Frage** stellen und
die Grenzen seiner Individualität aufzeigen.

Konstantinopel ist der Schauplatz der Wendung; der zum Menschsein
verfluchte Konrad beginnt, die Ambivalenz der menschlichen Existenz zu
erkennen und sie anzunehmen. Mit aller Gewalt überfällt ihn hier auch
erstmalig der Gedanke an den Tod, der darum so schrecklich für ihn ist,
weil ihn Stolz und Hochmut isolieren:

Und die tausendfache Einsamkeit, das Verstoßensein
prasselte wie ein Eisblock auf ihn.

---

[9] Vgl. *Babylonische Wandrung*, S. 228, 229, 318, 324, 339, 428, 433, 441, 600.

Es ist eine fremde Welt, weh mir, was steht mir bevor,
hier gibt es den Tod auch für mich. (230)

Doch in die Ambivalenz seiner Einstellung erfährt er auch immer wieder die Schönheiten des Lebens, ja, er fühlt sich von ihm getragen: „Wie ist es herrlich, Mensch – zu sein. . . . Die tiefe Strömung fühlte er, und er war darin der Schwimmer mit mächtigen Armen, stoßenden Beinen." (241) Aber wie in *Manas* schlägt das Pendel des Gefühls immer wieder zur anderen Seite aus. Im Traum erscheinen ihm die „drei Bitterkeiten", die ihn an die Endlichkeit aller irdischen Dinge erinnern.[10] „Die menschlichen Lieder haben einen Bruch." (245) Diese Erfahrungen vermögen jedoch nur vorübergehende Erschütterungen hervorzurufen – ebenso wie die Entdeckung, daß Georg – und damit er selbst – nur von Betrug existiert.

Das Erlebnis, daß ihn zwingt, bewußt die Abgründe des menschlichen Lebens zu sehen, den Tod zu erfahren und sich selbst in Frage zu stellen, ist seine Liebe zu Alexandra. Dunkel erkennt er, daß etwas stärker ist, etwas, das sich seiner nur bedient und ihn mit Füßen tritt:

> „Ich erkenne die Erniedrigung. Diese Niedertracht. Diese Schändung. Nimm es nur mit. Unter einem Tisch sitzen wir, zu irgendwas werden wir benützt, Fußtritte kriegen wir. Schauerlich, scheußlich, erbärmlich. Und was kann man dagegen tun? Ach, wenn ich das nur wüßte." (378)

Es ist bezeichnend, daß Konrad durch seine Liebe nicht nur die Preisgegebenheit des Menschen und die Grenzen der Individualität erkennt, sondern auch das individuelle Dasein in höchster Steigerung erlebt, so daß daneben die Todeserfahrung ihre Schrecklichkeit verliert:

> „Jetzt weiß ich, wie man Mensch ist. Ich sträube mich nicht mehr, Georg, ich sag dir dies: ich sträube mich nicht. Jede Faser von mir gebe ich dafür hin. Du denkst an den Tod und fürchtest dich davor. Ich kenne die Liebe, einen Menschen, diesen Menschen, Alexandra, es ist mein Leben, mein Dasein. Was ist schon, wenn es daneben noch den Tod gibt." (385)

Wie der Tod Miezes in Franz, so löst der Alexandras in Konrad eine Erschütterung aus, die seinen Hochmut zum Wanken und zum Einsturz bringt. Jetzt, im Augenblick tiefsten Schmerzes, erkennt er seine Umwelt erst richtig, sieht er um sich Zerfall und Tod. Wie in den meisten anderen Romanen Döblins sind auch hier der Schmerz und die Begegnung mit dem Tod die auslösenden Faktoren für die Wendung des Helden, der jetzt

[10] Vgl. ebd. S. 244, 378, 385.

beginnt, sich in Frage zu stellen. Beide Phänomene sind aber – zusammen mit der Geschlechtlichkeit – Zeichen des Anonymen, des Ur-Ichs, von dem das einzelne Ich seine Existenz herleitet. Sie bringen dem einzelnen zum Bewußtsein, daß er nicht selbst über sein Leben verfügt, sondern daß es von etwas Überindividuellem, nämlich dem Ur-Ich getragen wird, daß die alles Leben hervorbringende Urmacht die individuelle Form, durch die Lust erfahren wird, zwar erschafft, aber sie eben auch wieder zerschlägt, was Schmerz hervorruft. So wird Konrad, indem er das Schicksal Alexandras miterlebt und mitvollzieht, diese Grenze seiner eigenen Existenz bewußt. Er sieht sich Kräften gegenüber, über die er nicht verfügen kann, an denen sein Hochmut zerbricht, und vor denen er sich in Demut beugen muß.

Mehr denn je zweifelt Konrad an seiner Vergangenheit, und er ist jetzt bereit, sein Götterdasein zu liquidieren. Er will nichts weiter mehr sein als ein Mensch mit seinen Höhen und Tiefen. Doch abermals stellt sich damit die Frage nach den Möglichkeiten der menschlichen Existenz in ihrer Dialektik von Widerstreben und Nicht-Widerstreben, Aktivität und Passivität, Macht und Ohnmacht, eine Frage, der Konrad nicht ausweichen kann, und die nach Beantwortung drängt.

Der heruntergekommene, immer betrunkene Waldemar, der sich mit den simplen Freuden des Lebens bescheidet, stellt das eine Extrem dar:

> „Das ist ja der Fehler, Konrad, daß du etwas tun willst und glaubst, du mußt etwas tun. Nichts mußt du tun. Wir haben es ja früher, in der alten gesegneten Zeit, immer so gehalten. Und wie herrlich ging es." (443)

Der machtgierige, immer beschäftigte Georg verkörpert das andere:

> „Ich tue etwas, ich bin etwas, ich komme vorwärts. Sieh dich hier um. Ich habe für Späße keine Zeit. Ich schaffe Geld, ich brauche Macht, ich will Herrschaft." ... „Man muß schalten, herrschen wollen, kommandieren. Kommandieren. Sonst verkommt alles. Man selbst auch." (451–452)

Wieder prallen hier die Döblinschen Antinomien des Lebensverhaltens unversöhnlich aufeinander – wie schon in den anderen Romanen, nun allerdings zu letzter Schroffheit gesteigert: die eine verkörpert in einem dem Alkohol verfallenen Greis, der im Irrenhaus endet, die andere in einem Verbrecher großen Stils. Der durch den Tod Alexandras in seinem Hochmut erschütterte und sehend gewordene Konrad steht in der Mitte. Er fühlt sich innerlich beiden Figuren verbunden, aber er verwirft sowohl die Einstellung Waldemars als auch die Georgs: „,Ich will kein Lustsäufer, ich will auch kein Machtsäufer sein.'" (454)

Da er die Frage nach der eigenen Position nicht positiv beantworten kann, bleibt ihm nichts anderes übrig, als das Leben und seine Geschehnisse zu akzeptieren wie sie sind. Kurz bevor Konrad Istambul verläßt, um auf Georgs Rat nach Paris zu fahren, wird er zu dem toten Waldemar gerufen, der noch im Tode friedlich lächelt. Georgs Grausamkeit und sein Zynismus werden dagegen in einer Digression, die ihn bei einer makabren Militärparade in Moskau zeigt, noch einmal enthüllt. Er wird schließlich als Teufel dargestellt, der von sich selbst sagt: „Ich bin der Verderber.'" (492) Wie Wallenstein, die Giganten und Reinhold verkörpert er die zerstörende böse Gewalt, das Inhumane schlechthin, das aber dennoch im Prozeß des Lebens als notwendig erscheint!

Die Erfahrung des Todes ist das bleibende Erlebnis, das Konrad mit nach Zürich – seine nächste Station – nimmt: „Er mußte den Tod bestehen." (498) Konrad weiß zwar, daß das Schicksal auch ihn vernichten wird, aber er wehrt sich nicht mehr dagegen: „Der Fluch hat sich noch nicht gesättigt. Ich liege und halte still." (498) Indem er seinen Hochmut fahren läßt, nicht mehr widerstrebt und das Kommende, auch den Tod anzunehmen bereit ist, überantwortet er sich dem Strom des Lebens, den tragenden und auflösenden Kräften der Natur. Aber es ist hier noch weniger bewußte Einwilligung als vielmehr Resignation, die jederzeit in Widerstreben umschlagen kann. Er liegt „in Waldemars Haltung" (498) (!) im Schlafwagen und bittet in erneuter Auflehnung gegen das Schicksal den Mond um Beistand:

„Großer Mond, hoher weißer Mond, weil du mich siehst im Zug, ich fürchte mich, reiß mich los. Diese Erde, auf der ich fahre, ist schrecklich gefräßig. Sie ist ein Untier. Sie schlägt mit Stangen auf mich ein. Sie vernichtet mich. Sie hat mir Waldemar genommen, Alexandra war mein Leben, es ist vernichtet. Laß das nicht zu, Mond. Ich bin allein. Steh mir bei." (499)

Im Traum antwortet ihm der Mond: „Es war kein Gespräch menschlicher Art. Es war ein tönendes Gefühl. Er wurde verschlungen im Mond und wieder freigegeben." (499) Als Konrad den Himmel verließ und die Gestirne ansang, blieben sie stumm. Jetzt, nachdem sein Hochmut zerstoben ist, und er die bitteren Seiten des Lebens, Schmerz und Tod, erfahren hat und dadurch gezwungen ist, sein Leben in Frage zu stellen, versteht er die Sprache der Natur, findet er in die mystische Einheit allen Seins, die erst den Menschen von der Einsamkeit, der Isolation und dem Schrecken des Todes befreit. Wie immer bei Döblin werden die gegensätzlichen Positionen nicht gedanklich aufgelöst, selbst dann nicht, wenn er sie – wie in *Das Ich über der Natur* oder in *Unser Dasein* – philosophisch untersucht, sondern im Irrationalen aufgehoben. Albrecht Schöne weist in diesem Zusammenhang mit Recht darauf hin, daß Döblin auch in *Das Ich über der Natur* die Antinomie von Selbstbewahrung und Auflösung des Ich im Weltganzen nicht einer gedanklichen Klärung zuführt, sondern in ein Bild faßt.[11]

In Straßburg mischt sich Konrad unter die Geißlerzüge des Mittelalters, die der Erzähler, die Zeit überbrückend, beschwört. Mit den anderen, die den Tod durch das ewige Leben überwinden wollen, geißelt er sich auf der Suche nach dem reinigenden Schmerz. Er ringt um seine Seele. Vergeblich hat Christus alle Schmerzen auf sich genommen, denn sie enden nie. Ja, in seinem Zeichen werden neue Leiden und Schmerzen über die Menschen ausgeschüttet: die Geißler schreiten zur Verbrennung der Straßburger Judenschaft. In seinem selbstzerstörerischen Drang zum Schmerz brennt Konrad mit den Juden, aber er verbrennt nicht – ein Hinweis darauf, daß sein Inneres doch noch verhärtet ist: „Ich habe kein Leben. Er verbrannte nicht. Wir sind Tod. Wir sind fühlloser Stein. Es ist nichts, was uns öffnet." (506) Anders als Isaak in *Berlin Alexanderplatz* treiben nicht bewußter Wille und bewußte Einsicht in die Notwendigkeit Konrad zum Opfer, sondern Verzweiflung, Resignation und Furcht. So kann er weder zum Leben noch zum Tode richtig erlöst werden, noch nicht.

In Zürich fordert die Liebe wieder ihr Recht. Konrads Liebesbeziehung zu Barbara, die in ihm den Leidenden erkennt, bildet ein Gegengewicht zu seinen Gesprächen mit dem Theologiestudenten und Zwingli-Anhänger Balthasar. Barbara erwartet ein Kind, und in diesem Ereignis drückt sich die alles dominierende Kraft des Lebens aus. Zu dem Erlebnis des Todes in Istambul tritt hier jetzt das des sich immer wieder erneuernden Lebens:

> Und der Tod mag da sein. Dann ist aber auch das Leben da, das verschlingt den Tod.
> Und es können Felsen auf den Weg stürzen, ein Weg führt nachher um sie herum, in den Steinritzen wuchert Gras. (522)

Diese Erkenntnis von der Unendlichkeit des Lebens bleibt für Konrad wesentlich, wohingegen die Gespräche mit dem eifrigen Balthasar nicht mehr als ein oberflächliches Geplänkel sind. Denn Konrad weigert sich, dessen Thesen von der Verfluchung und der Schuld des Menschen zuzustimmen: „„Ich bin nicht schuld, und wenn, so habe ich schon genug bezahlt,

---

[11] Albrecht Schöne, „Döblin. Berlin Alexanderplatz", S. 311.

ich will nicht, ich habe nichts verbrochen.'" (520) Abermals lehnt er sich gegen die Notwendigkeit von Demut, Opfer und Selbstpreisgabe auf und scheint trotz seiner Erfahrungen als Mensch wieder am Ausgangspunkt zu stehen.

Paris ist die letzte große Station, das Ende seiner Pilgerschaft, die „sein Aufstieg zu einem armen Menschen" (527) ist. Er ist zwar nicht mehr der babylonische Gott, aber er fühlt sich als Mensch sehr wohl: „Dem Würger Tod bin ich entgangen, dem Würger Tod muß ich zeigen, daß ich noch an der Tafel des Lebens sitze." (537) Er ist wieder obenauf. Aber gleichsam hinter dem Rücken seines Helden beschwört der Erzähler den Tod und den leidenden Christus, die unter dem Lächeln der Stadt und der Schönheit ihrer Kirchen verborgen sind. So dauert es nicht lange, bis Konrad wieder inmitten des bunten Großstadttreibens die Sinnfrage mit plötzlicher Unmittelbarkeit überfällt:

> Ich esse gern, ich trinke gern, aber jetzt gerate ich ins Zittern — weil ich an Alexandra denke, und es war alles umsonst, und es ist da das Grauen und der sinnlose, gräßliche Tod, Tod und sinnlose Geburt. Wo sehe ich einen Weg? Warum weint man nicht schon bei jeder Geburt? (548)

Immer wieder überkommen ihn diese Erschütterung und Angst. Der Diebstahl seines Geldes bringt ihm erneut seine Preisgegebenheit zum Bewußtsein, gleichzeitig erfüllt ihn aber auch Wut über seine Ohnmacht. Er muß seine Nächte auf der Metrotreppe verbringen, und damit beginnt die Zeit seiner tiefsten Erniedrigung. Wie Ferdinand sich den anonymen leidenden Scharen des Dreißigjährigen Krieges anschließt, wie es Karl in *Pardon wird nicht gegeben* immer mehr in die Anonymität der Vorstädte treibt, so fühlt auch Konrad sich bald unter den Clochards heimisch. Er sieht ein, daß er nichts ist, aber er will jetzt auch nichts mehr sein, er scheint zu völliger Selbstpreisgabe bereit: „,Ich bin nichts, weniger als nichts, was soll denn noch geschehen, ich werde noch in den Tod gehen, wie Waldemar und Alexandra gegangen sind, ich will, ich werde nichts sein, wenn es doch bald geschähe.'" (585)

Georg macht einen letzten Versuch, Konrad auf seine Seite zu ziehen, um ihn für seine Weltsicht zu begeistern: „,Du sollst wissen, was in der Welt handeln ist.'" (585) An Beispielen aus der Geschichte und am Modell der von Schafen bevölkerten „Menschlistadt" sucht er Konrad noch einmal zu beweisen, daß Gewalt allein die Welt beherrscht, und daß die Menschen zum blöden Vieh gehören, das man kommandieren und ausbeuten muß:

„Hier herrscht Kraft. Wer die größte Kraft hat, regiert und bestimmt die Ordnung bei den andern und das erkennen sie auch ohne weiteres an. Die Gewalt allein tut, handelt, herrscht, warum soll man sich fürchten, es zu sagen, sie schafft Ordnung, Gerechtigkeit, und da hast du das Blut, von dem du redest." (587)

Nach Georgs Meinung ist die Welt sinnlos und ʼzufällig, nur die Stärke regiert. Doch Konrads Frage nach dem Leid ist damit nicht beantwortet. Für Konrad ist Georg die Gewalt, die überall am Werke ist, und die auch Alexandra getötet hat. Was Georg zu zeigen hat, ist lediglich „die Welt als Gruselfilm" (601). Er fühlt, daß der so erfolgreiche Georg im unrecht ist: „Hier ist mehr am Werk als seine blöde Kraft und das Gewicht und die größere Kraft. Hier ist mehr als der leere Raum, in den alles hineingeschleudert ist." (602) Andrerseits wirft er jedoch seinem „Nachfolger" in der Herrschaft vor, er betreibe ein zynisches Spiel mit dem Menschen, da er ihm zwar das Licht der Vernunft gegeben, die Tat aber verhindert habe.

Die Widersprüche, in die sich Konrad hier verwickelt, sind offensichtlich, und Döblin macht gar nicht den Versuch, sie zu verbergen. Es sind die Antinomien, die sein ganzes Werk durchziehen, und sie in jedem Roman neu herauszuarbeiten, ist der Gegenstand dieser Arbeit. Konrad sucht nach dem Sinn der menschlichen Existenz, das heißt nach seinem Platz in der Welt, und muß angesichts des ihn umgebenden Chaos, der zerstörerischen Kräfte an jedem Sinn verzweifeln. Deshalb ist auch jedes Handeln sinnlos, wir sind ohnmächtiges Spielzeug in der Hand eines zynisch lachenden Gottes, den Konrad verflucht:

„Der Böse neben mir hat recht. Du wirst mich nicht dazu bringen, vor dir den Kopf zu beugen. Er hat erreicht mit seiner Fahrt, was er wollte. Ich habe gelernt. Weil ich grenzenlos leide und mich schäme, verfluche ich dich, und mein Abscheu gegen dich, mein Haß wird nicht auszutilgen sein." (603)

Aber auch jetzt will Konrad nicht bei dieser negativen Sicht stehenbleiben; er will die Erkenntnis des Chaos, die sich ihm immer wieder aufdrängt, überwinden, und er bietet diesem zynischen Gott seine Hilfe an, um dadurch die Welt von ihrer Furchtbarkeit zu erlösen. Auch hier mündet die antithetische Haltung im Paradox: einerseits die Einsicht in die Unmöglichkeit des Handelns und auf der anderen Seite das Gefühl, helfen zu müssen und zu sollen. Die paradoxe Erkenntnis, trotz allem am Mitvollzug der Welt beteiligt zu sein, die auch *Das Ich über der Natur* beherrscht, richtet Konrad wieder auf.

Er sieht die Sinnlosigkeit der Welt und doch fühlt er ihren Sinn, er negiert die Möglichkeit des Handelns und doch will er helfen, er begreift die Ohnmacht des Individuums und doch glaubt er, die Kraft zu haben, das Böse bändigen zu können, denn er will Georg wieder an die Kette legen. So steht auch Konrad zwischen den Gegensätzen, die Döblins Werk durchziehen, und für die es keine endgültige Auflösung gibt, obgleich – oder gerade weil – der Mensch teil an beiden Extremen hat. Konrad schleppt Georg in eine Kirche vor ein Kreuz:

> „Unauslöschlich die Gerechtigkeit! Du Strolch! Wir wären sonst nicht auf die Erde heruntergejagt, die Macht wäre mir nicht aus der Hand gerissen. Ich könnte dich schlachten. Aber ich tu es nicht. Denn – du bist – unsterblich – wie er!"
> Er bückte sich, flüsterte, hob den andern: „Und ich, ich bin – wie du und er. Darum werde ich dich nicht loslassen, dumme Bestie, Tiger, Vieh. Sei froh, daß du wieder an meine Leine kommst." (617)

Aber Konrad verwirklicht diese erhabenen Vorsätze nicht. „Er weicht aus, bleibt Parasit." (621) Indem er von Georg eine große Summe annimmt, die ihm eine sorgenfreie Existenz ermöglicht, zieht er keinen Schluß aus seinen Überlegungen und schreitet nicht wie Herakles, mit dem ihn der Erzähler ironisch vergleicht, zur Tat. Er heiratet, hat Kinder und führt das Leben eines wohlhabenden Pensionärs. Konrad verwirft erneut beides: die Anmaßung der Macht und Gewalt (Georg), aber auf der anderen Seite auch die nur passive Haltung der Schwäche, das Nicht-Widerstreben (Waldemar):

> Grimm war sein Grundgefühl.
> Er sah Georg allmächtig. Er wütete gegen die Frommen, Schwachen, Dummen, die nicht widerstehen konnten. ... „Er ist ein Verbrecher und hat Macht, aber da ist noch nicht bewiesen, daß der besser ist, der kein Verbrecher, aber ohnmächtig ist." (643)

Da jedoch ein Widerstreben gegen die Übermacht der Gewalt sinnlos ist, bleibt nur ein Sich-Abscheiden. Konrad will Paris verlassen, die Stadt, aus der nichts kommen kann, weil Georg hier herrscht. Die Kirchen von Paris, die den „Schmerzensmann" beherbergen, Symbol des Leidens, aber auch dessen geistiger Überwindung, indem das Leiden als Reinigung verstanden wird, vermögen ihn angesichts einer Zeit, in der nur noch „die marschierenden Bataillone" (650) dominieren, nicht zu überzeugen. Wie Wadzek, der nach Reinickendorf zieht, weigert er sich, dieses Gesicht der Welt zu akzeptieren – wie Franz will er sich „bewahren".

Hier wird sehr deutlich, daß Konrad zur letzten Selbstpreisgabe, zum letzten Opfer, noch nicht bereit ist. Zwar sieht er ein, daß dem Wirken Georgs und dessen Geist nichts entgegenzustellen ist, aber er will sich retten, indem er sich „abscheidet". Er flieht mit seiner Familie, die ihm willig folgt, in eine ländliche Idylle im Süden Frankreichs, die ihm jedoch auch sehr schnell wieder suspekt wird, denn die Sinnfrage läßt ihm auch hier keine Ruhe. Er sehnt sich zurück nach Paris und Notre Dame. Aber dieses Schwanken enthüllt nur seine völlige geistige und seelische Desorientierung.

In der Krise, die ihn eines Nachts überfällt, ist er schließlich bereit, sich der Wahrheit bedingungslos zu öffnen, sich selbst völlig hinzugeben:

> „Ich — bin da, ich bin ja da, da bin ich, vollständig. Was geschehen soll, ge-
> schehe! Hier bin ich. Ich bringe mich her. Ich will sie, die ganze Wahrheit!"
> Aber es schmetterte nur das Dröhnen durch ihn. Es war dem schrecklichen
> Gellen ähnlich, das er früher gehört hatte. (658)

Die Wahrheit, der Konrad sich jetzt ganz öffnet, besteht auch hier in der Einsicht, daß er sich nicht wehren kann, daß er besiegt ist: „Die alte Heldenrüstung klirrte noch an ihm. Er war im Begriff, auch sie abzulegen, seinen Stolz zu verbrennen, um ganz klein zu werden." (660)

Aber der Erzähler muß ihm noch gut zureden, um seinen Widerstand zu brechen:

> Ruhe, noch immer keine Ruhe, du längst hoffnungsloses Herz? Noch immer
> widersetzt du dich und weißt das Ende. . . . Streck dich aus! Sieh die Erde, wie
> sie die Keime hineinlegen. Lege dich selbst hin, ruhe aus. Du bist geflohen, ja du
> bist es, warum es nicht zugeben, warum nicht die Rüstung abwerfen? Sei zu-
> frieden. (660)

Unter einem Baum (!), angesichts von wimmelnden winzigen Kreaturen, erkennt er seine eigene Kleinheit, die er nun willig akzeptiert:

> Ich bin kein Gewaltherr. Ich fahre nicht mehr auf Kriegswagen einher. Ich kann
> keine Klauen in andere Hälse schlagen. Ich will es nicht. Ich bin nicht mehr wie
> diese hier, die Ameisen, die Spinnen. Wie soll ich schlagen, wo wir einer wie der
> andere sind. (662)

Demütig beugen sich alle, die mit Konrad aufs Land geflohen sind, vor den tragenden Kräften der Erde und des Lebens. Der Angesehenste von ihnen opfert unter dem Baum ein Lamm. Konrad preist die Herrlichkeit und Ordnung der Schöpfung, in der der einzelne geborgen und aufgehoben ist:

„Eine große Führung durchzieht diese Welt und sichtet alles, was geschieht. Gerechtigkeit ist noch das Geringste, was hier geschieht. Freundschaft, Liebe, Sehnsucht, Wissen durchziehen die Welt und müssen unaufhörlich die Erstarrung und den kalten, winterlichen Tod lösen, in den die Gewalt alles werfen will. Sie schütten, was oben ist, nach unten und heben, was unten ist, nach oben. Wohl uns allen, daß wir ganz klein und schwach, so arme, nein reiche Menschen geworden sind, wir sind gut aufbewahrt." (665)

In dem Traum, der Konrad vom Leben in den Tod begleitet, fliegt er durch die Natur, versteht sich mit seinem Baum, dem er ebenso wie der Erde sterbend von seinem Blute gibt. Die letzte mystische Einheit, in der das Ur-Ich durch den Tod das geformte Individuum auflöst und wieder an sich nimmt, ist erreicht. Erst mit dem Tode werden die Gegensätze, die das Leben durchziehen, aufgehoben.

Wir konnten in dem thematischen Zusammenhang, den wir hier zu entwickeln versuchten, nicht auf die immer neuen Digressionen eingehen, in denen Döblin seine Thematik ironisch beleuchtet, ebensowenig wie auf die biographischen Hintergründe des Romans, die aber zweifellos die fundamentalen Probleme Döblins neu aktualisiert haben. Uns kam es darauf an zu zeigen, wie sehr auch dieser Roman von der Grundthematik beherrscht wird, so daß sogar in Kernstellen dieselben Wendungen auftauchen können wie in früheren Romanen („weigern", „sich bewahren"). Auch hier verläuft der Leidensweg des „Helden" von der Arroganz, der hybriden Selbstüberschätzung in die demutvolle Erkenntnis der eigenen Nichtigkeit, verbunden mit der Anerkennung der überindividuellen Urgewalten. Der Schluß nähert sich so sehr den Überlegungen und Einsichten von *Das Ich über der Natur*, daß hier von einer ironischen Distanzierung nicht mehr die Rede sein kann. In der mystischen Einheit mit diesen Naturmächten findet Konrad sterbend seine Beruhigung, in ihr wird er endlich von dem quälenden Hin und Her zwischen Hochmut und Demut, Bewahrung und Hingabe, erlöst.

11. NOTWENDIGKEIT UND UNMÖGLICHKEIT DES HANDELNS IN
Pardon wird nicht gegeben

In diesem kleinen Roman, dem ersten, der im Exil konzipiert wurde, wendet sich Döblin in erstaunlicher Weise von seinen bisher propagierten und in seinen Romanen verwirklichten theoretischen Einsichten ab. Denn es handelt sich hier um einen psychologischen Roman, um „eine Familiengeschichte mit autobiographischem Einschlag"[1], deren stark einsträngige Handlung Döblins bisherigen Vorstellungen von einem „epischen Werk" geradezu diametral entgegengesetzt ist. Die Gründe dafür liegen, wie Links gemeint hat, in der unmittelbaren Berührung mit Frankreich und dessen Romantradition.[2]

Walter Muschg im „Nachwort"[3] und besonders Roland Links, seiner mehr soziologischen Betrachtungsweise entsprechend[4], betonen sehr stark die soziale Thematik des Romans, das Spannungsverhältnis zwischen Bürgertum und Arbeiterschaft und die daraus resultierende klassenkämpferische Note. Für Muschg zeichnet Döblin daher im Schicksal Karls in erster Linie — wie Sternheim — „das Drama des Bürgertums"[5].

Diese Interpretation ist nicht nur durch Döblins politische Aktivität und seine Stellungnahme zu politischen und sozialen Problemen seiner Zeit gerechtfertigt. Die Flucht ins Exil zwang den geschulten Marxisten, der sich Fragen seiner Zeit nie entzog, sich mit den Gründen für das Aufkommen des Faschismus auseinanderzusetzen. In der 1931 veröffentlichten Schrift *Wissen und Verändern!* beklagt er das „schreckliche, grausame, atavistische und fast unglaubliche Faktum der sozialen Klassen und ihres Kampfes"[6]. Er wendet sich gegen den Kapitalismus, da dieser keine Ordnung vertrete, und der Schwache hier nie eine Chance habe. „Ein System gnadenlos gegen andere und seine eigenen Träger."[7] Um dieses System zu beseitigen und eine

---

[1] „Epilog", S. 392.
[2] Roland Links, *Alfred Döblin*, S. 110.
[3] Walter Muschg, „Nachwort des Herausgebers", In: *Pardon wird nicht gegeben*, S. 373 bis 384.
[4] Links, S. 102–104.
[5] Muschg, „Nachwort des Herausgebers", S. 375.
[6] Alfred Döblin, *Wissen und Verändern! Offene Briefe an einen jungen Menschen* (Berlin, 1931), S. 21.
[7] Ebd. S. 23.

neue Ordnung zu finden, müsse man prinzipiell auf die Seite der Unterdrückten treten. Döblin lehnt aber den Klassenkampf ab, da dieser nur einen „neubürgerlichen Staatskapitalismus"[8] hervorrufe. Mit der Entlarvung des Privatkapitalismus habe Marx seine Rolle ausgespielt. Was Döblin letztlich anstrebt, ist die Umgestaltung der sozialen Wirklichkeit durch eine vom marxistischen Dogma befreite Arbeiterschaft mit Hilfe der Intellektuellen. Beide werden auf einen sozialen Humanismus verpflichtet, der den einzelnen aus seinem Kollektivdasein befreit und ihm Freiheit und schöpferische Entfaltungsmöglichkeit garantiert.

Diese Überlegungen Döblins, die hier nur kurz skizziert werden konnten, erhielten durch den Reichstagsbrand und seine Flucht aus Deutschland dramatische Aktualität. Offensichtlich sind diese Ereignisse und die damit verbundenen Probleme nicht ohne Einfluß auf den Roman geblieben. Vieles Autobiographische wurde mit hineinverwoben, allerdings weniger aus der jüngsten Vergangenheit als vielmehr aus der Zeit der Revolution von 1918 und der Weltwirtschaftskrise. Wir lassen diese autobiographischen Bezüge, die Walter Muschg im „Nachwort" klargelegt hat, und die sich vor allem aus einem Vergleich des Romans mit den autobiographischen Skizzen in *Alfred Döblin. Im Buch. Zu Haus. Auf der Straße.* ergeben, hier beiseite.[9]

Die Interpretation der sozialen Thematik, deren Berechtigung nicht bestritten wird, soll hier nicht im Mittelpunkt stehen, ebensowenig die Problematik der Ehe und Familie, die Döblin nicht erst hier, sondern bereits 1931 in dem unter Piscators Einfluß entstandenen Schauspiel *Die Ehe* entwickelt hatte. Wir wollen statt dessen versuchen, auch diesen Roman unter der bisherigen Perspektive zu sehen. Denn die Allgemeinheit und Stilisierung der Darstellungsweise, die auf jede exakte raum-zeitliche Fixierung verzichtet, überdies mit den historischen Vorgängen ziemlich frei verfährt (der Erste Weltkrieg wird übersprungen!), läßt darauf schließen, daß es Döblin doch nicht in erster Linie auf den Konflikt zwischen Bürgertum und Arbeiterschaft in einer konkreten historischen Situation ankam, sondern auf die Selbstverwirklichung des Menschen zwischen Auflehnung und Unterwerfung. Die Darstellung des sozialen Dilemmas, die Anklage gegen das Bürgertum, ist damit weniger Selbstzweck, sondern sie gewinnt vielmehr eine ganz bestimmte Funktion: die negativ gezeichnete Welt der Bourgeoisie wird zum Prüfstein für Karls Charakter; die Wendung gegen das Bürgertum wird zur Bedingung der Identität mit sich selbst. Da er von der Mutter

[8] Ebd. S. 28.
[9] Vgl. Muschg, „Nachwort des Herausgebers", S. 374–375.

gegen seinen Willen in der von ihm abgelehnten bürgerlichen Sphäre festgehalten wird und deren Werte schließlich akzeptiert, verliert er diesen Anspruch auf die Einheit seines Wesens. Er integriert sich schließlich so vollständig in die früher gehaßte und verachtete Klasse, daß sein Leben zur leeren Form, zu einer bloßen Rolle wird. Erst als er die Brüchigkeit der bürgerlichen Verhältnisse, die durch die Wirtschaftskrise zutage tritt, klar erkennt, vollzieht sich in ihm die Wendung, in der er auf der Suche nach den Idealen seiner Jugend die Übereinstimmung mit sich selbst wiederzufinden hofft.

Damit bezieht *Pardon wird nicht gegeben* eine Gegenposition zu anderen Romanen Döblins und auch gerade zu den beiden früheren Werken *Berlin Alexanderplatz* und *Babylonische Wandrung*. Denn hier wird ein übersteigertes Ichbewußtsein, das die Welt herausfordert, indem es versucht, ihr seine Vorstellungen aufzuzwingen, vor die Erkenntnis der eigenen Nichtigkeit geführt, bis es sich schließlich willig und in bewußter Demut den überindividuellen Lebensvorgängen unterwirft und sich ihnen anvertraut. In *Pardon wird nicht gegeben* aber vollzieht sich das Entgegengesetzte: die Auflehnung gegen das Bestehende wird zur unerläßlichen Bedingung des eigenen Menschseins. Nicht mehr Selbstbescheidung und Unterwerfung werden gefordert, sondern Umsturz und Revolution im Dienste des Menschen. Unter dem Einfluß der politischen Ereignisse, die ihn und seine Familie zur Flucht zwangen, mußte Döblin zu einer Revision seines Standpunkts gelangen; denn die Passivität, das bedingungslose Akzeptieren des Schicksals und die Unterwerfung unter die überindividuellen Lebensvorgänge mußten die Entwicklung des Nationalsozialismus begünstigen.

Es besteht allerdings ein wesentlicher Unterschied: in *Pardon wird nicht gegeben* sind es ausschließlich die s o z i a l e n Verhältnisse, gegen die sich Karl zur Wehr setzen muß. In den anderen Romanen sind es weitgehend die Lebensmächte selbst, die ewigen, unveränderlichen, immer wirksamen Kräfte und Gesetze der Natur, denen sich der Mensch willig und demütig unterwerfen muß, und nicht die veränderlichen und immer neu zu verändernden sozialen Bedingungen.

Als die durch leichtsinnige Wirtschaft und plötzlichen Tod des Vaters verarmte Familie in die Großstadt kommt, ist die Haltung der Mutter, die auf allen Seiten von Gläubigern bedrängt wird, zunächst durch Haß auf das Bürgertum bestimmt. Karl, der auf Arbeitssuche die Stadt durchstreift, begegnet in dem Viertel der Schlösser und Parks, das ihn maßlos beeindruckt, den Manifestationen der herrschenden Klassen. Hier sieht er auch erstmalig das Schlachtenbild, das ihn immer wieder anzieht, und das zum mehrdeutigen Symbol seiner ambivalenten Situation wird. Er kehrt jedoch auch gern in seinen armen Stadtteil zurück, in dem er sich heimisch fühlt, denn hier sind alle „aus einer Familie" (25).

Die Mutter ist dem steigenden Druck nicht mehr gewachsen, sie kann den „Schlag" nicht mehr ertragen und beschließt, „auszuweichen", das heißt, Selbstmord zu begehen. Nachdem Karl sie gerettet und der Onkel, Prototyp des nach Gewinn strebenden Bürgers, sich schließlich dazu bereit gefunden hat, ihr zu helfen, ändert sie ihre Haltung völlig; sie beschließt, die Welt ihrer Gläubiger, die Bürger also, mit deren eigenen Waffen zu bekämpfen. Um den nunmehr begehrten Platz in dieser Gesellschaft erreichen zu können, macht sie Karl zum Instrument ihres Willens und bestimmt so sein Schicksal.

Auf seiner Suche nach Arbeit und Verdienst lernt Karl neben anderen Jugendlichen den Revolutionär Paul kennen, der einen nachhaltigen Einfluß auf ihn gewinnt, und zu dem er sich sofort hingezogen fühlt. Bei verschiedenen Gelegenheiten kommt es zu scharfen Auseinandersetzungen zwischen beiden, in denen der frühreife und welterfahrene Paul dem jüngeren Karl die Augen über das Bürgertum öffnet – die soziale Klasse, der Karl entstammt, und in die seine Mutter jetzt mit allen Mitteln zurückstrebt.

Diese steht auf der anderen Seite. Nach dem vereitelten Selbstmordversuch ist sie entschlossen, ihr eigenes Leben zu leben, um das sie sich von ihrem toten Mann betrogen glaubt. Sie will sich an ihm rächen, indem sie Karl ihrem Willen unterwirft, ihn so zum Instrument ihrer Rache macht und mit seiner Hilfe den Wiederaufstieg betreibt. Die Art, wie der Erzähler diesen Entschluß beinahe ins Religiöse steigert, läßt Karls Schicksal doch wieder als festgelegt und unabänderlich erscheinen. Wieder tritt hier das für Döblin typische Paradox deutlich hervor: Karl muß um seiner Selbstverwirklichung willen, seinem Wollen und Fühlen folgen, muß seiner Klasse den Rücken kehren und zum Revolutionär werden, um an einer besseren Gesellschaftsordnung mitzuarbeiten. Er ist so zum Widerstand gegen seine Klasse verpflichtet, gleichzeitig aber wird er durch biologische und soziale Faktoren in dieser Klasse festgehalten, so daß jeder Widerstand sinnlos erscheint.

Wie Konrad steht Karl zwischen zwei Figuren. Das Ringen zwischen der Mutter und Paul um Karl ist mehr als die Konfrontation zweier Klassen, es wird ein Kampf um Karls Seele. Sehr bald wird dieser von Paul vor die Alternative gestellt: entweder mit ihm zu gehen und damit dem Bürgertum den Rücken zu kehren und ihm den Kampf anzusagen, oder auf die Seite der Mutter zu treten. Karl beteuert, daß er bei Paul bleiben will; er fühlt, wohin sein Weg geht und ist bereit, seiner Mutter das Geld wegzunehmen, das Paul von ihm fordert. Als diese ihn dabei ertappt, bekräftigt er noch einmal seine Absichten. Die Stellung zu Paul und dessen revolutionärem Aufbegehren gegen die bürgerliche Gesellschaft werden für ihn — und das ist entscheidend! – zum Prüfstein seiner eigenen moralischen Integrität:

> „Ich hab die gute Stube von der anderen Seite gesehen, du hast sie mir auch gezeigt, die schönen Straßen und Geschäfte, wo ich durchgehetzt bin, und dich haben sie auch gejagt mit deinen Papieren, und es hat uns keiner geholfen und du weißt ja, dann hast du dich nicht weitergewußt. Jetzt bin ich noch jung und kann was anderes versuchen, ich weiß noch nicht was, ich will aber nicht hier verkommen." ... „Ich will nicht gemein und niederträchtig werden, ein bißchen bin ich's schon, ich hab's gemerkt, man kann nichts dafür, aber schließlich weiß man's nicht mehr. Ja, Paul hat's mir gezeigt, er ist nicht schlecht, er ist der Beste, der Allerbeste, den ich draußen gefunden habe." (107–108)

Durch die verhängnisvolle Tat der Mutter, die ihn daran hindert, Paul zu folgen, verliert Karl sein Recht auf seine menschliche Individualität, denn er wird in eine Rolle gedrängt, gegen die er sich zwar anfänglich sträubt, die ihn aber immer mehr seinem besseren Ich, seinem ursprünglichen Wollen entfremdet, so daß er sie endlich perfekt ausfüllt, bis durch die äußere Krise auch die innere sichtbar wird, und er seiner Rolle zu entfliehen versucht.

Karl hätte die Integrität seiner Existenz nur wahren können, wenn er sich gegen das Verdikt seiner Mutter durchgesetzt hätte. Er hätte „sich bewahren", also genau das tun müssen, weshalb die anderen Helden Döblins scheitern. Obgleich seine Auflehnung gegen das Bürgertum, das ihm zum Schicksal wird, durch die Unabänderlichkeit des mütterlichen Entschlusses von vornherein als sinnlos erscheint, muß er dennoch diesen Widerstand leisten.

Nachdem sein Widerstreben gebrochen ist, wird die Mutter voll und ganz „Lenkerin seiner Geschicke" (117). Sie betreibt nicht nur energisch den eigenen Wiederaufstieg in die Gesellschaft, sondern ebenso sehr den ihres Sohnes. Karl lebt sein Lehrlingsdasein in der Fabrik des Onkels aber nur provisorisch, denn innerlich bleibt er zunächst seinen alten Vorstellungen und Hoffnungen treu. Was ihn mit den einfachen Arbeitern, den Armen, verbindet, ist das Gefühl, wehrlos gegen das Schicksal zu sein, nicht zur Selbstverwirklichung und Freiheit gelangen zu können, ein Gefühl, das

Döblins ganzes Werk durchzieht, und dem er durch den Appell zu einer sozialen Solidarität im veränderten Schluß von *Berlin Alexanderplatz* entgegenzuwirken versuchte. Karl fühlt sich noch zu diesen Menschen gehörig und will sie nicht preisgeben:

> Man hält uns mit Krallen fest, man stößt uns in den Dreck. Wir sind alle elend und stehen da und können uns nicht wehren. Und er knirschte in sich hinein: ich bleibe bei euch, ich gebe euch nicht her, ich trage euch, wo ich gehe, mit mir herum, ich bin ein schlechter Mensch, man hat mich vergewaltigt, ich muß etwas tun, damit wir frei werden, meine Freiheit kommt mit eurer. (124)

Doch die Mutter und die Fabrik bleiben stärker. Da Karl „der folgsamste, fleißigste, ernsteste Lehrling und Schüler" (136) geworden ist, beschließt der Onkel ihn zu fördern. In einem letzten verzweifelten Versuch will Karl wenigstens seine Stellung als Arbeiter unter Arbeitern behalten, und er beginnt, seine Arbeit zu sabotieren, um dem Avancieren zu entgehen. Wieder bricht die Mutter mit Gewalt seinen Widerstand und zwingt ihn, den einmal eingeschlagenen Weg weiterzugehen. Damit wird der Rest an Auflehnung, der noch in ihm lebendig war, erstickt, und der Weg für eine vollständige Integration in die verachtete, gehaßte und bekämpfte bürgerliche Gesellschaft ist frei:

> Es sieht ganz so aus, als ob das dreifache Verbrechen, das hier verübt war, ungesühnt bleiben würde, das Verbrechen der Mutter an dem Sohn, sein Verbrechen an sich selbst [denn auch die Schwäche und Halbheit ist ein Verbrechen], sein Verrat an der Gesellschaft. (153).

Von nun an spielt Karl die Rolle, die ihm die Gesellschaft vorzeichnet. Er arbeitet sich in der Fabrik empor, bis er deren eigentlicher Leiter wird und da er „der Gesellschaft, der Familie und seinem Aufstieg die Ehe schuldig" (146) ist, heiratet er Julie, die Tochter eines Regierungsbaumeisters, eine Wahl, die seine Mutter für ihn getroffen hat. Bürgerliche Konventionen, denen sich Karl willig unterwirft, lassen zwischen beiden keine wirklich menschlichen und persönlichen Beziehungen entstehen.

Der Haß auf diese Gesellschaft, seine Gemeinsamkeit mit Paul sind ihm „Verirrungen der Flegeljahre" (152). In seiner Wohnung hängt das Bild aus der Siegeshalle, das eine Kapitulation darstellt. Dieses Gemälde enthüllt die geheime Doppeldeutigkeit seiner Existenz, denn „[wer war er übrigens — der, der auf dem Pferd saß, oder der, der demütig den Degen in den Händen hinauftrug?]" (154). Nur scheinbar ist er der Sieger, denn er hat seine Stellung mit dem Verlust seiner Individualität bezahlt.

Durch die Wirtschaftskrise geraten die Fundamente seines Daseins ins Wanken, obwohl er seinen Platz zunächst noch mit aller Brutalität behauptet. Doch nicht nur seine geschäftliche Existenz ist bedroht, sondern auch seine Ehe, deren latente Krise nun offenbar wird. Julie will aus der ihr aufgezwungenen Rolle ausbrechen:

> Sie wollte dasein! Dasein! Sie fühlte den Wunsch bis zur Erbitterung. Dasein als lebendiger Mensch, und wenn es als Verbrecher wäre. . . .
> Das hätte Karl, das gebrannte Kind doch verstehen können, aber gerade er — verstand es nicht! (209)

Karl seinerseits erkennt, daß er seine Frau gar nicht liebt, aber Julie ist ein Stein in dem Gebäude, das er sich errichtet hat, und dieser Stein darf nicht herausfallen. Doch die Auflösung der Familie ist nicht mehr aufzuhalten: Julie verläßt Karl mit ihren beiden Kindern, um mit José zu leben, in dem sie – im Gegensatz zu Karl – einen Menschen sieht.

Die Krise enthüllt nicht nur die Fragwürdigkeit ihrer privaten Beziehungen, sondern auch die Korruption der Klasse, in die Karl aufgestiegen ist. Die Defraudation des Majors, eines Onkels seiner Frau, führt ihm den sittlichen Zustand seiner Klasse vor Augen.

Mit dem Zerfall seiner Ehe und mit der Erkenntnis der bürgerlichen Korruption ist Karls Existenz der Boden entzogen. Um jeden Preis versucht er zunächst die Fiktion aufrechtzuerhalten, daß nichts geschehen sei. Aber hinter der Fassade bürgerlicher Wohlanständigkeit lebt er ein neues Leben. Er versucht, dem Zwang der bürgerlichen Gesellschaft, deren vollendetes Produkt er geworden ist, zu entrinnen und sich selbst auszuleben:

> Aber es war die Gesellschaft, die Klasse, deren Leben er bisher geführt hatte, deren Güter er erstrebt hatte, sie ließ ihn los, stieß ihn beiseite, bald würde sie einen neuen unerträglichen Stoß [er ahnte es] gegen ihn tun, da erwachte in ihm eine Kraft, die nicht gelebt hatte, die nicht hatte leben dürfen, meldete sich, sie ließ vorn das Haus ruhig zusammenstürzen und streckte hinten im freien Gelände ihren Kopf vor. Was konnte diese Kraft, dieser Wille anders, da er nicht die Worte jener Gesellschaft sprach, als dunkel, wirr, ja wüst reden und so lallen und so handeln. (303–304)

Die „Kraft, die nicht gelebt hatte, die nicht hatte leben dürfen", ist seine Individualität, sein individueller Anspruch an die Welt. Diese Kraft, durch seinen Aufstieg in die bürgerliche Gesellschaft verschüttet, kann nicht mehr – wie in seiner Jugend – eine adäquate Äußerungsform finden und muß sich in einem wüsten Doppelleben ausdrücken, das Karl in ein Vorstadthotel und zu Dirnen treibt denn in der hier herrschenden Anonymität wird er als Mensch angesehen und nicht als Repräsentant einer bestimmten Klasse: „Sie nahmen einen für nichts als einen Menschen, der hier herumwanderte, für einen Menschen. Man war mit einem Schlag aus einer andern Welt geholt, nur ein Mensch." (306) Wieder wird deutlich, wie nicht mehr die Unterwerfung unter das Schicksal, dessen williges und bedingungsloses Akzeptieren, die Selbstpreisgabe und das Opfer die einzigen Formen eines wirklich menschlichen Daseins sind, sondern gerade das Bekenntnis zur eigenen Individualität, zum Ausleben des eigenen Wollens, das hier nur noch in pervertierter Form zum Ausdruck kommt. Nicht mehr Selbstaufopferung wird gefordert, sondern die Verwirklichung der eigenen individuellen Existenz, die zur Vorbedingung eines eigentlich menschlichen Lebens wird. Indem die Mutter ihn gegen seinen Willen in das gehaßte Bürgertum drängte, hat sie diese Selbstverwirklichung verhindert. Sie hat Karl so, wie er selbst seinem Bruder Erich gegenüber sagt, „die Liebe aus dem Leib gerissen" (267).

Während seine wirtschaftliche Situation immer aussichtsloser wird, findet er allmählich zu seinem besseren Ich zurück. Im Traum erscheint ihm jetzt die irrationale Lebensmacht, die aus ihm selbst hervortritt, wie immer bei Döblin verkörpert in einer Tiergestalt:

Ein breites, löwenmäßiges, bemähntes Gesicht hatte das Wesen, das nachts aus ihm trat, honigsüß und gewaltig sprach es, man konnte ihm nur folgen, gewitterdunkel war sein Ausdruck.

Bist du einmal im Spätherbst durch den Wald gegangen? Das Laub liegt braungelb, rot fußhoch, aber hier und da hebt dazwischen Kraut und Gras sein Grün empor. Das Laub, glaubt man, erstickt das Grün. Nein, es zerfällt, verwest, ernährt. (321–322)

In diesem Bild stellt sich die Kraft des Lebens dar, die sich immer wieder regeneriert. Sich gestaltend und zerfallend hat der Mensch teil an dem sich immer wieder erneuernden Lebensprozeß; jedoch nur dann, wenn er als Individuum er selbst ist. So gesehen wird Karls Verrat an sich selbst zum Verrat am Leben.

Es ist von symbolischer Bedeutung, wenn Karl die Möbel seiner „Festung" zerschlägt: er will sich von seiner Klasse und ihrem Einfluß befreien. Aber es ist ein ohnmächtiger Versuch, denn sie läßt ihn nicht mehr los. Als Paul, der als Agitator in die Stadt zurückgekehrt ist, ihn besucht, sieht er ihn zunächst noch mit den Augen seiner Klasse. Doch dann versucht er, dem ehemaligen Freund Rechenschaft zu geben, sich ihm zu erklären:

„Man hat mich erpreßt und meines ganzen Daseins beraubt, wie eine Spinne ist man über mich gesprungen und hat mich ausgesogen und man konnte das, denn ich war schwach und ohne Hilfe.'" (345) Aber da Paul sich hinter die Fassade des Klassenkämpfers zurückzieht, ist eine Verständigung nicht mehr möglich.

Obwohl die Begegnung mit Paul ergebnislos verlief, findet Karl doch unter ihrem Einfluß zu sich selbst zurück. Er fühlt, daß er „die finstere Schlucht des unechten Lebens" (358) durchschritten hat. Jetzt erkennt er die Berechtigung der Revolution, die im Gange ist, an und ist bereit, sich auf die Seite Pauls zu stellen. Doch die Ironie seines Schicksals will, daß er in einen Trupp der zivilen Schutzwehren gerät, die er selbst mit aufgestellt hat. Bei dem Versuch, zu den Aufständischen überzugehen und so auch äußerlich die Wendung zu vollziehen, wird er erschossen und von der Klasse, der er zu entfliehen versuchte, als Märtyrer gefeiert; auch im Tod läßt sie ihn nicht mehr los.

Die Familie und die bürgerliche Gesellschaft mit ihren Konventionen und Korruptionen manifestieren sich als Schicksal für Karl – ein Schicksal, das seine Individualität vernichtet und ihn somit entmenschlicht. Daß er sich nicht – oder doch zu spät – gegen sie auflehnt, wird sein Verhängnis, obgleich sich dieses Schicksal durch die beinahe religiöse Überhöhung, die der Entschluß der Mutter erfährt, als unabänderlich zu erweisen scheint.

Wie immer in Döblins Romanen fehlt es auch in *Pardon wird nicht gegeben* nicht an einem positiven Gegenbild, das ein anderes, richtigeres Lebensverhalten demonstriert. Diese Funktion erfüllt Karls Bruder Erich in dem Roman. Bezeichnend ist, daß er erst in der zweiten Hälfte des Werkes als Karl in die Krise gerät, mehr in Erscheinung tritt. Erich ist „ein merkwürdiges Widerspiel Karls" (156). Er ist sanft und freundlich und zieht auf eine rätselhafte Art Menschen an. Heiter und lebenslustig, ist er das Gegenteil von seinem verkrampften, strengen und ernsten Bruder. Er verkörpert damit zum größten Teil Eigenschaften, die Karl durch sein Schicksal verloren gegangen sind. Daher sucht Karl unbewußt sich selbst in seinem Bruder: „Er wollte ohne Bewegung und Handlung still hinhalten. In einen Spiegel blicken." (163) Erich wird zur Verkörperung des Stillhaltens, das so stark an den *Wang-lun* erinnert. Er verhält sich passiv und bringt die kontemplative Seite des Lebens zur Geltung; das Leben betrachtet er zu allererst als eine menschliche Aufgabe. Selbst wenn man den ironischen Unterton des Erzählers, besonders bei dem Bericht über Erichs Liebes- und Eheaffairen nicht überhört, bleibt doch festzuhalten, daß er ein Lebensverhalten demonstriert, das die meisten Figuren Döblins zeigen, oder zu dem sie doch hingeführt werden: das der Unterwerfung unter die Irrationalität des Lebens. Der Preis, den er entrichten muß, ist der Verzicht auf Aktivität. Er verachtet und bemitleidet die Bürger, er nimmt die Revolutionäre – darunter auch Paul – bei sich auf, aber er schaltet sich nie aktiv in den Kampf ein, obwohl nicht unklar ist, bei wem seine Sympathien liegen. So ist es nicht verwunderlich, daß ihm das letzte Wort des Erzählers gilt: „Er hielt sich ganz still." (370) Dieser letzte Satz, der ungemein an die Frage, die den *Wang-lun* beschließt, erinnert: „„Stille sein, nicht widerstreben, kann ich es denn?"" [10], relativiert Karls Erfahrung. Karl ist nicht schuldlos an seinem Schicksal, das ihn schließlich vernichtet, weil er sich nicht, oder zu spät, dagegen aufgelehnt hat. Erich verhält sich so, daß er das Schicksal gar nicht erst herausfordert: er akzeptiert das Leben, wie es ist, ohne es ändern zu wollen, er verhält sich still. In dem Schicksal Karls stellt Döblin seine These, daß der Mensch sich preisgeben, sich unterwerfen muß, in Frage, in dem Erichs scheint er sie wieder bekräftigen zu wollen. Beider Schicksal – und das bedeutet eine gewisse Einschränkung – spielt sich in einem Horizont ab, der bestimmt ist von sozialen, ja klassenkämpferischen Faktoren. Doch darf dies nicht darüber hinwegtäuschen, daß auch hier die Grundthematik Döblins, die Frage nach dem richtigen Lebensverhalten bei einer dialektischen Auffassung des Menschen, wirksam bleibt, auch dann, wenn man den Roman zu der politisch-sozialen Kampfschrift *Wissen und Verändern!* und dem Stück *Die Ehe* in Verbindung setzt. Allerdings wird diese Problematik durch die oft prädominierenden sozialen Akzente gelegentlich verschleiert.

Es muß indes festgehalten werden, daß Döblin in diesem Buch das Handeln, ja sogar die revolutionäre Tat, als notwendig für die Selbstverwirklichung des Menschen erachtet. Diese Haltung steht in deutlichem Gegensatz zu seiner sonstigen Skepsis dem Handeln gegenüber, die wieder erneut in der *Amazonas*-Trilogie sichtbar wird.

[10] Wang-lun, S. 480.

12. UNTERWERFUNG UNTER DIE NATUR UND NATURBEHERRSCHUNG IN *Amazonas*

Dieser Roman erschien zuerst 1937/38 im Verlag Querido Amsterdam und bestand aus den zwei Bänden *Die Fahrt ins Land ohne Tod* (1937) und *Der blaue Tiger* (1938). Nach dem Krieg erschien 1947/48 eine zweite Auflage des Werkes unter dem Titel *Das Land ohne Tod. Südamerika-Roman in drei Teilen.* Döblin trennte den letzten Teil des Romans ab und veröffentlichte ihn unter dem Titel *Der neue Urwald* (1948) als selbständigen Band. Zweifellos übertrat Muschg[1] die Kompetenzen des Herausgebers, als er diesen letzten Teil, den er offensichtlich als bloßen Anhang betrachtet, unterschlug, was bereits von Links[2] und Hans-Albert Walter[3] mit Recht kritisiert worden ist.

Döblin ging es gewiß nicht um eine geschichtliche Darstellung der Jesuitenrepublik – ebensowenig wie er in *Wallenstein* den Dreißigjährigen Krieg hatte schildern wollen –, sondern der Stoff war nur deshalb für ihn von Bedeutung, weil er an ihm abermals die „dialektische Spannung" erproben konnte, die ihn immer wieder beschäftigte: der Mensch als passives Stück und aktives Gegenstück der Natur. Deshalb kann die Gestalt, in der Muschg den Roman vorlegt, und der mit dem zweiten Band und dem Untergang der Jesuiten schließt, nicht befriedigen, denn er bringt die Geschehnisse zu einem rein äußerlichen Abschluß. Erst *Der neue Urwald* aber eröffnet die richtige Perspektive auf die Vorgänge der Romantrilogie: nämlich von der Gegenwart her, die erneut die Ohnmacht und Fragwürdigkeit des menschlichen Handelns gezeigt hat. Wenn Döblin noch in *Pardon wird nicht gegeben* unverhüllt die Entscheidung, die Tat, verlangt hatte, so neigt sich in *Amazonas* die Waage wieder zur anderen Seite: das Handeln erweist sich als fruchtlos, wenngleich notwendig.

In *Amazonas* ist nicht der Gegensatz „zwischen dem archaischen Naturvolk und der europäischen Korruption" entscheidend – wie Muschg[4] und

[1] Walter Muschg, „Nachwort des Herausgebers", In: *Amazonas*, S. 653.
[2] Roland Links, *Alfred Döblin*, S. 121.
[3] Hans-Albert Walter, „Alfred Döblin – Wege und Irrwege", In: *Frankfurter Hefte* XIX, 12 (Dez. 1964), S. 871.
[4] Muschg, „Nachwort des Herausgebers", S. 640.

teilweise auch Links[5] gemeint haben –, sondern der zwischen dem Sich-Verlieren an die Natur und dem Willen, sie zu beherrschen. Döblin feiert hier zum letzten Mal hymnisch die Mächte der Natur, denen sich die Indianer unterordnen, gleichzeitig aber bemüht er sich, den menschlichen Errungenschaften, dem Wirken des Kopernikus, Galileis und Giordano Brunos Recht widerfahren zu lassen. Beides ist bei Döblin kein absoluter Gegensatz, sondern es sind zwei Pole der menschlichen Existenz, die sich aus seiner Doppelstellung als „Stück und Gegenstück" der Natur erklären. Das Dilemma der p r a k t i s c h e n Unvereinbarkeit beider Positionen bleibt jedoch bestehen. Gerade *Amazonas* beleuchtet aufs neue diese für Döblin charakteristische Schwierigkeit. Er rettet sich durch einen Sprung in die mystische Einheit allen Seins, die jenseits aller Rationalität liegt. Hans-Albert Walter nennt ihn daher mit Recht in Denkmethode und Schreibweise „tief irrational".[6]

Lange bevor sich Döblin in der Nationalbibliothek zu Paris an Hand von Atlanten in den Amazonas, „dieses Wunderwesen Strommeer"[7] vertiefte, war er auf den Stoff gestoßen: die Eroberung Südamerikas durch die Spanier und Portugiesen und die Geschichte der Jesuitenrepublik. In seiner Glossensammlung *Der deutsche Maskenball*, veröffentlicht unter dem Pseudonym „linke Poot", nahm Döblin länger zu Gerhart Hauptmanns *Der weiße Heiland* Stellung:

> Ich lobe die Spanier, gegen Montezuma. Ich lobe allemal die Realität gegen den Traum, und den Traum nur, wenn er schöpferisch und richtunggebend ist. Montezuma, tiefsinnig und rührend, seinen Passionsweg gehend, — er dient niemandem als der Dichtung Gerhart Hauptmanns.[8]

Es ist erstaunlich, daß sich Döblin hier ganz entschieden auf die Seite des Täters stellt, obwohl sein *Wallenstein* (1920) gerade die Ohnmacht des Mächtigen gezeigt und voller Resignation das Handeln verworfen hatte. Der Aufruf zur Aktivität wird in den folgenden Worten noch deutlicher:

> Als Reaktion gegen kriegerische Tobsucht bleibt der Mexikaner bestehen. Da halte ich still und gebe ihm die Hand. Reaktion leistet aber nicht genug. Das

---

[5] Links, S. 114. – Links kommt der Idee des Werkes insofern näher, als er es mehr im Zusammenhang mit den anderen Romanen sieht und die Thematik des Handelns mehr berücksichtigt. (Vgl. auch S. 119.)
[6] Hans-Albert Walter, S. 870.
[7] Alfred Döblin, „Epilog", S. 393.
[8] Linke Poot (d. i. Alfred Döblin), *Der deutsche Maskenball*, S. 108–109.

ganze treibende Leben muß durchdrungen werden. Man kommt nicht mehr aus mit Geplänkel. Alles will durchwühlt und neu beantwortet werden.[9]

Fünfzehn Jahre später steht Döblin in seinem *Amazonas*-Roman auf der anderen Seite: das Handeln der Konquistadoren – aber auch der Jesuiten – ist problematischer als je, und unverhohlen gehören seine Sympathien der pflanzlichen Existenz der Indianer, die im Einklang mit den Naturmächten leben. Dieser Sprung von einem Extrem ins andere zeigt, daß die Dialektik, die wir in seinem Werk verfolgen, nicht nur in den einzelnen Romanen zutage tritt, sondern auch das Verhältnis seiner Schriften untereinander bestimmt, was die Ausweglosigkeit dieser dialektischen Situation zu beweisen scheint.

Schon der Titel *Amazonas*[10] und die Überschriften der einzelnen Teile, „Das Land ohne Tod" und „Der blaue Tiger", weisen auf die Natur und die indianischen Mythen hin, die die Einheit allen Seins versinnbildlichen und die Beseeltheit der ganzen Schöpfung zeigen. Wir wiesen bereits bei der Interpretation von *Berge Meere und Giganten* darauf hin, daß die Beschreibung von Naturvorgängen, Landschaften – hier vor allem immer wieder des Amazonas – die Unendlichkeit der Natur und die Allgegenwart ihrer Kräfte beschwören soll, und deshalb mehr ist als bloße raum-zeitliche Fixierung des Geschehens.

Diese Welt des Wassers und der Wälder ist bevölkert von den Indianern, die im Einklang mit der Natur leben, ihre Mächte verehren und sich demütig vor ihnen beugen, denn nur so können sie überleben. Sie befinden sich in einem Stand natürlicher Unschuld, den ihnen weder die habgierigen Konquistadoren noch die Jesuiten rauben können. Passiv fügen sie sich in den Lebenszusammenhang ein, dem sie zugeordnet sind. Niemand, der hier eindringt, kann sich ganz dem Zauber dieser pflanzenhaften Existenzen entziehen, so daß viele die Lebensart der Indianer annehmen.

Der Passivität der Braunen steht die brutale Aktivität der Konquistadoren gegenüber, die ausgezogen sind, „um sich zu vernichten und zu verlieren" (94); sie kommen in dem Lande an „wie eine Krankheit in einem Körper" (179).[11] Die Kriegswut, der Menschenhaß und die Gier ziehen als allegorische Figuren vor ihrem Zug her. Ist ihr Leben gewalttätig, so ist ihr Tod oft sinnlos und grotesk, wie vor allem der des Nikolaus Federmann.

---

[9] Ebd. S. 109.
[10] Nach Muschg der ursprünglich von Döblin geplante Titel (vgl. „Nachwort des Herausgebers", S. 653).
[11] Vgl. auch *Amazonas,* S. 188.

Die weißen Eroberer sind jedoch nicht nur hier eingedrungen, um ihre Gier nach Gold und ihren blinden Tatendrang zu befriedigen, sondern auch „um sich und ihre Art an die Erde zu verlieren, sich zu verwandeln und zu erneuern"[12]. Noch einmal scheint Döblin hier seine Auffasung bekräftigen zu wollen, daß der Mensch sich durch den Umgang mit den Mächten der Natur regenerieren könne – eine Hoffnung, die auch am Schluß von *Berge Meere und Giganten* und *Babylonische Wandrung* begegnet. Doch jetzt wird auch diese Erwartung enttäuscht; sie weicht Skepsis, Resignation und Pessimismus, denn: „Die neue Erde hatte ihnen wohlgetan, aber hatte auch ihre Kraft, ihren Hochmut und ihre Rohheit gesteigert, und ihr Unglück vermehrt."[13]

Wieder wird hier Döblins ambivalente Haltung dem Handeln gegenüber deutlich. Denn vorher hatte er noch die Ergebnisse der Naturbeherrschung und Naturwissenschaft, des menschlichen Handelns also, gefeiert und die in der Renaissance beginnende Hinwendung zur Erde, durch die die Herrschaft des Christentums untergraben wurde, als „gutes Omen" begrüßt:

> Die weißen Menschen wollten nach einem neuen Mittel greifen, um zu genesen. Man näherte sich wieder sich selbst. Es war ein gutes Omen, daß man jungen Pflanzen und Bäumen folgte, die Lebensfreude gaben, und unter antiken Bildsäulen den irdischen Reichtum feierte. (601)

Aber gerade deshalb ist der von Muschg in seiner Ausgabe unterschlagene letzte Teil des Romans so wichtig, weil sich dort diese Aussichten wieder verdunkeln, denn das Wissen, das die Entfaltung der Naturwissenschaften den Weißen gebracht hat, wird von ihnen später doch nur mißbraucht – im Gegensatz zu den Indianern, welche die neu erforschten Naturgesetze aus einer tieferen Naturerkenntnis heraus längst verstehen und verehren, ohne sie zu einem Machtinstrument zu machen, das doch nur das prekäre Gleichgewicht von Mensch und Natur zerstört. In den Worten, die hier dem Arzt Girolamo Cardano in den Mund gelegt werden, erkennt man unschwer Döblins Ideen aus *Das Ich über der Natur* wieder, in denen die Einheit allen Seins beschworen wird, die auch den Menschen umfängt:

> Dann sagte er: „Die Veränderungen in der Natur folgen dem Gesetz der Zahl, dem Gott sein Werk unterworfen hat. Alle Wesen sind beseelt, auch in den Pflanzen waltet Liebe und Haß." Es gab damals keine Menschen, die das verstanden, was er so von sich gab, es sei denn im Neuen Indien unter den Dunklen. (564)

[12] Alfred Döblin, *Der neue Urwald* (Baden-Baden, 1948), S. 5.
[13] Ebd.

Es stehen sich also in den Indianern und den Weißen nicht nur Passivität und Aktivität, Einordnung in die Natur und Naturbeherrschung gegenüber; das Handeln der Weißen ist in sich selbst ambivalent. Ihre Rückkehr zur Erde, die Erforschung und Anerkennung der Naturgesetze werden durchaus positiv gesehen, aber die Berührung mit der Erde hat nicht den erhofften Erfolg der Erneuerung, weil sie die Hybris der Weißen steigert. Döblins Kulturkritik, die ansatzweise schon in früheren Werken sichtbar wurde, steigert sich hier zu einem Verdikt der gesamten westlichen Zivilisation und Kultur. Das menschliche Handeln hat sich — vor allem im Hinblick auf die paradiesische Unschuld des indianischen Lebens – als Sackgasse erwiesen. Aber vergessen wir nicht: das Buch ist im Exil geschrieben worden, nachdem in Deutschland die Faschisten die Macht übernommen hatten.

Den weißen Eindringlingen, die sich mit Brutalität ihren Weg bahnen, stehen die Jesuiten gegenüber, welche die positive Seite europäischen Menschentums verkörpern:

> Europa, das krampfige, unglückliche, hatte auch andere Menschen. Es gab welche, die inniger suchten und nicht gejagt waren, sie dachten zu sühnen und das wahre Gesicht des weißen Menschen zu enthüllen. (425)

Sie sind diejenigen, „die stillhielten und ruhig blickten" (425). Sie haben Europa verlassen, in dem das Christentum gescheitert ist, um in Südamerika einen neuen Anfang zu machen. Die Jesuiten stehen in einem doppelten Kampf: einmal gegen die Schlechtigkeit ihrer eigenen Landsleute, andrerseits gegen den Urwald, der – wie immer bei Döblin – die Kräfte der Natur verkörpert. Dieser Kampf zwischen der Natur und dem Christentum, das ja den Versuch einer moralischen Naturbeherrschung darstellt, klingt bereits in dem Titel des dritten Buches des ersten Teils an: „Las Casas und Sukuruja", der Jesuitenpater und der Geist des Wassers, des Amazonas. Da die Dunklen im Lager der Weißen täglich mit der Diskrepanz zwischen Theorie und Praxis des Christentums konfrontiert werden, geht Las Casas zu ihnen in den Wald. In seinem visionären Traum, in dem er mit den Indianern nach Spanien zieht und den christlichen König auffordert, vom Thron zu steigen, vollzieht sich die Umkehrung der Mission. Hier allerdings stehen sich die paradiesische Unschuld der Indianer, die ein reines Bild des Menschen bewahrt haben, und die moralische Verkommenheit der Europäer gegenüber.

Im zweiten Teil des Romans („Der blaue Tiger") treten Natur und

Naturmythen zugunsten der Darstellung von Aufbau und Zerstörung der Jesuitenrepubliken zurück. Die Versuche Emanuels und Montoyas sind zum Scheitern verurteilt; denn sie versuchen, Sao Paulo, das Zentrum der skrupellosen Konquistadoren, zu vermeiden und sich abzukapseln und verletzen so das Gesetz der Inderdependenz aller Dinge, nach dem alles, was sich isoliert, untergehen muß. Die erste Siedlung, „das indianische Kanaan" (365) muß auf Grund der paulistischen Tätigkeit aufgegeben werden. Auch die neue Siedlung, in der sich „das friedliche glückselige Leben der einfachen Fischer am galiläischen Meer" (424) wiederholt, in der biblische Wunder geschehen, wird durch den lächerlichen Usurpator Riubuni zerstört. Das Ende der letzten Siedlung schließlich wird durch eine politische Entscheidung im fernen Europa herbeigeführt.

Letztlich erweist sich aber auch die Natur als unüberwindlich. Einzelne wie Mariana verfallen dem Leben der Dunklen. Er zieht tanzend in den Wald und versinkt in den Elementen. Auch Emanuel, der Obere der ersten Jesuitenrepublik ist – wie seine tiefe seelische Bindung an die Kazikenfrau Maladonata zeigt – nicht frei von den Neigungen, denen Mariana völlig erlegen ist.

Die Jesuiten sind ausgezogen, um ein neues Gesetz, „das des planenden Menschen, des Meisters über die Natur" (412) zu erfüllen. Aber ebensowenig wie sie die Natur wirklich beherrschen, können sie die Indianer zu Christen in ihrem Sinn erziehen. Zwar vollzieht sich die christliche Lehre durch die Dunklen in einem sehr elementaren Sinn, weil sie durch ihr reines Menschentum den Maximen christlichen Lebens in seiner ursprünglichen Bedeutung folgen, aber von den Seelenqualen der Weißen bleiben sie verschont. So werden sie zum Rettungsanker der Jesuiten, ohne daß diese doch die Möglichkeit hätten, ihnen nachzufolgen: „Sich an ihnen halten! Von hier aus die Lehre neu befestigen! Es war das Lied vom alten Kanaan." (468) Doch dieser Wunsch bleibt unrealisierbar; denn eine tiefe Kluft trennt die natürliche Unschuld der Indianer von dem verquälten seelischen Zustand der Weißen, gegen den die Dunklen immun sind.

Ein weiterer Grund für das Scheitern der Jesuiten – neben dem Versuch, sich abzukapseln –, ist bezeichnenderweise Stolz und Hochmut, hervorgerufen und die neue Machtstellung. Sie haben vergessen, daß es für sie nur die Nachfolge Christi gibt. Wieder wird hier deutlich, daß der Weg des Menschen durch Selbstpreisgabe und Opfer bestimmt ist. Angesichts des Todes bereut Emanuel:

Ich habe viele Sünden in meinem Leben begangen, und als ich schon viele abgestreift hatte, ist mir der Hochmut geblieben. Ich habe nicht nachgegeben und nicht nachgegeben, wahrhaftig, Mariana war mein liebster Freund, mein Spiegelbild ein Stück von mir, sein Weg hat mich nicht belehrt. Ich bereue, jetzt geschieht mir wie ihm, ich werde verworfen, verdammt. Ich bereue. Herr, ich bereue. Ich wollte deinen Schmerzensweg unter den Menschen nicht gehen, ich glaubte, klug sein zu müssen, und reiße Tausende mit. (444)

Hochmut der Führer und Isolation – bei Döblin schon immer die Zeichen menschlichen Fehlverhaltens – sind auch hier für den Untergang verantwortlich. Wie eine Arche Noah isoliert sich die letzte Siedlung: „Das Christentum suchte sich von seinen weißen Anhängern zu den Dunklen zu retten." (468–469) Diese Republik wird jedoch als bloßes Objekt einer politischen Entscheidung eliminiert; die letzten Jesuiten in Europa kommen in den Kerkern absolutistischer Fürsten um. Die neue Zeit, in der sich die Menschen von Christentum und Jenseitshoffnungen ab- und dem Diesseits und dem Menschen zuwenden, geht über sie hinweg.

Damit ist ihr Versuch, eine christliche Republik zu gründen, gescheitert – wie alle großen politischen Projekte im Werk Döblins. Trotzdem bleibt für ihn das Vorhaben der Jesuiten „der Gottesstaat, der großartige, der einzig menschenwürdige Versuch" (616). Aufs neue enthüllt sich hier die „dialektische Spannung" in seinem Menschenbild. Auf der einen Seite die Sehnsucht nach dem Unschuldszustand einer ursprünglichen Einheit mit der Natur, wie ihn das Leben der Indianer zeigt, und der für die Weißen unerreichbar ist, auf der anderen Seite der Versuch einer moralischen Naturbeherrschung, der zum Scheitern verurteilt, aber dennoch allein menschenwürdig ist. Der Mensch muß handeln, auch wenn sein Handeln keine Resultate zeitigt. Lediglich die Nachkommen der Konquistadoren überleben, die sich dem Lande angepaßt haben und der Erde ihren Tribut zollen. Es wurde aber schon darauf hingewiesen, daß auch diese Haltung ambivalent ist, insofern sie zu Mißbrauch und Hybris verleiten kann, ein Pessimismus, der sich im letzten Teil der Trilogie *(Der neue Urwald)* durchsetzt.

Er ist stofflich nur sehr lose, thematisch aber eng mit den beiden anderen Büchern verknüpft. Denn auch hier wird schon auf den ersten Seiten die Antithetik des Menschenbildes sinnenfällig. Wieder begegnen wir zwei Möglichkeiten des Lebensverhaltens, die sich gegenseitig auszuschließen scheinen: „Ab und zu scholl eine Stimme: ‚Werft alles hin, es gibt keine Rettung.' Eine andere: ‚Weiter, gebt nicht nach, nicht nach!'" (6) Aufs neue werden die Gegensätze beschworen, zwischen denen alle Helden Döblins stehen: Sinn und Sinnlosigkeit des Handelns, Passivität und Aktivität, Selbstpreisgabe und Selbstbehauptung. Diese Antithetik weist bei Döblin immer auf die Frage zurück, ob diese Welt zufällig und chaotisch oder ob' sie sinnvoll, von einer „Führung" durchzogen ist.

Um diese Frage geht es im Gespräch zwischen Twardowski, dem polnischen Faust, und Kepler, Galilei und Giordano Bruno. Twardowski, für den diese Welt chaotisch und böse ist, beschuldigt Kepler und Galilei, sie begründet zu haben. Damit wird die in *Amazonas* zunächst positiv bewertete Entwicklung, die „Zeitenwende", wieder fragwürdig. Aber trotz Twardowskis Widerspruch hält Bruno an seinen Erkenntnissen fest und feiert die Herrlichkeit der Welt in Wendungen, die stark an *Das Ich über der Natur* erinnern. Für ihn steht fest, daß die Welt durch „die Beziehung zu einer höchsten Intelligenz" (12) getragen wird; er preist den Menschen als Schöpfer. Obwohl er nicht verkennt, daß das menschliche Unglück aus seiner Machtfülle (!) stammt, glaubt er an das Entstehen einer neuen Menschheit. Twardowski hält ihm entgegen: „Nein: in dieser Welt geschieht nichts. Alles bewegt sich bloß.'" (14) Für diese gegensätzlichen Thesen dienen die Schicksale Jagnas und Klinkerts als Demonstrationsobjekte.

Klinkert und sein Freund Posten huldigen der Praxis und Nüchternheit, der Tat, und sind Anhänger von Stärke und Gewalt; ihr Symbol ist die Maschine. Sie wenden sich gegen jede Mythologie und verlangen sachliche Methoden. Als Zeichen dieses „instrumentalen Denkens" trägt Klinkert stets eine kleine Nickelschere mit sich herum. In ihrer Anbetung von Macht und Gewalt entsprechen sie dem Menschentyp der Konquistadoren, die sich raubend und plündernd über Südamerika geworfen haben. Aber wie immer bei Döblin werden Klinkerts Hochmut und Zynismus zerbrochen durch die entscheidenden Lebensphänomene: die Liebe und den Tod. So verläuft sein Weg von der Machtbesessenheit in die Ohnmacht, und er umspannt damit wiederum die extremen Aspekte des Döblinschen Menschenbildes. Thereses Liebe läßt seine Machtanbetung und seinen Hunger nach Herrschaft verstummen; ihr Selbstmord kehrt sein faschistisches Denken um: er führt ihn vor die Erkenntnis seiner Nichtigkeit und der Absurdität der Welt:

Höllische, satanische Welt! Dieser Hohn auf alles, was wir sind und sein möchten.
Therese auf dem Gesicht liegend, Glied um Glied zerschmettert. Kein Erbarmen, keiner greift ein, wir sind wehrlos und verlassen. (114)

Klinkerts Geschick gewinnt dadurch exemplarische Bedeutung, daß es zum Anschauungsobjekt im metaphysischen Kampf um die Sinnfrage zwischen Twardowski und Bruno wird. Für Twardowski ist Klinkerts Schicksal nur ein neuer Beweis dafür, daß es in dieser Welt keine Vernunft, Weisheit und Liebe gibt. Auch Bruno bekennt, daß er „eine geschändete Menschheit" (122) gesehen hat. Das Böse hat sich seiner Erkenntnisse und der Erfindungen der andern bemächtigt. Ihm bleibt nur eine utopische Hoffnung: die alte Menschheit soll – typisch expressionistisch! – zertrümmert und eine neue geschaffen werden. Sein Problem – im Grunde das der Theodizee – kann nicht gelöst werden. Bruno kann das Erlebte nur im Paradox fassen: „,O geschändete Welt! O herrliche Erde!'" (124)

Klinkerts Schicksal bleibt im Ungewissen. Er will nicht aufgeben und nicht – wie Jagna – das Land verlassen, um auszuweichen. Die politische Entwicklung, die mit dem früher von ihm vertretenen Gedankengut in ursächlichem Zusammenhang steht, verstärkt seine Verzweiflung. Doch wollte Döblin bei diesem negativen Bild des zeitgenössischen Menschen nicht stehenbleiben, und er versuchte, einen Hoffnungsschimmer sowohl für die seelische wie für die politische Situation zu sehen. So bleibt dem desillusionierten Klinkert wenigstens die Ahnung eines überindividuellen Ichs. Döblin greift hier auf die Erkenntnisse aus *Das Ich über der Natur* zurück, auf dessen Bedeutung man nicht nachdrücklich genug hinweisen kann:

„Das Ich. Es ist doch das Ich. Vielleicht nicht unser Ich, so, wie wir es uns vorstellen. Vielleicht ein anderes, stärkeres, mächtigeres Ich, das etwas in sich hat, etwas will, etwas nicht will — das weiß, was es will!" (143)

Die Geschichte Klinkerts ist eingelagert in die Jagnas. Beide sind nur lose miteinander verknüpft, wie ja Straffheit der Komposition nur selten von Döblin angestrebt wurde. Jagna durchläuft einen ähnlichen Prozeß wie Klinkert. Im Anfang ist er ein Menschenverächter von grenzenlosem Zynismus, vor allem im Umgang mit Frauen. Doch bald erkennt er die Sinnlosigkeit seines Treibens:

„Es gibt nichts, was uns hält. Man treibt so hin. Ich könnte auch weiter so hintreiben. Sie wissen, wie weit ich damit gekommen bin. Es macht mir keinen Spaß mehr. Mich graut es vor der Fortsetzung, und etwas anderes als die Fortsetzung weiß ich nicht." (55)

Jagna taucht in der Anonymität unter und geht einen selbstgewählten Leidensweg. Klinkert findet ihn schließlich in Paris als kleinen Arbeiter wieder, als er im Begriff ist, mit seinem wegen Mordes verurteilten Freund und dessen Freundin ins Bagno nach Guyana zu ziehen. Er will Europa und seinen Menschen, von denen er nichts mehr erwartet, den Rücken kehren: „‚Es bleibt nur die Möglichkeit: hier alles zu demolieren oder weggehen.‘" (135) Abermals wird hier das Verdikt über Europa und seine Menschen ausgesprochen.

Die Erneuerung des Menschen, die Schöpfung eines neuen Menschenbildes, das große Thema des Expressionismus, scheint damit endgültig gescheitert. Die Indianer verkörpern in ihrem reinen Menschentum ein Gegenbild, dessen Erreichung den Weißen nicht mehr gegeben ist. Das Christentum sucht sich durch die Missionierung der Dunklen neu zu beleben – vergebens. Die Erneuerung des Menschen durch die Hinwendung zur Erde, die in der Renaissance beginnt, ist mißlungen, da die Menschen die neuen Erkenntnisse und Erfahrungen mißbraucht haben. So wendet sich Jagna von den Menschen ab, von denen er nichts mehr erhofft.

Ruhelos verläßt er auch das Bagno wieder. Mit einer Gruppe von Sträflingen flieht er durch den Urwald nach Brasilien. Damit kehrt der Erzähler zu dem Schauplatz der anderen Teile des Romans zurück. Schließlich leben von dieser Gruppe nur noch Vivien-Jagna und ein halbirrer Kaplan. In den Gesprächen, die sie mit den Indianern führen, werden noch einmal die Greuel Europas und das naturhafte, pflanzengleiche Leben der Indianer konfrontiert. Für sie ist die Welt der Weißen eine Welt der Barbarei und Gewalttätigkeit, aus der nur Unordnung hervorgeht. Nach den mythologischen Vorstellungen der Indianer hat deshalb der große Vater den blauen Tiger auf die Erde geschickt, um die Länder der Weißen zu vernichten. Wie Wang-lun so erkennt auch der Kaplan die Sinnlosigkeit des Handelns. Er und Jagna beginnen – wie schon früher andere Figuren der Trilogie –, sich immer mehr an die Welt der Indianer zu verlieren. Jagna verfällt einem Indianermädchen, das ihm zum Symbol der mütterlichen Lebenskräfte wird, im Gegensatz zum vernichtenden männlichen Prinzip: „‚Wir Männer sind schuld. Wir sind an allem schuld. Männer können nur töten. Alles Leben kommt vom Weib.‘" (183) Jagna stirbt bei den Indianern, der Kaplan kommt in den Urwäldern um.

Mit dem Schicksal Jagnas tritt noch einmal ein anderer Zug des Döblinschen Menschenbildes ins Blickfeld: der Versuch, den Weg in die Einheit mit der Natur zurückzufinden. Aber mehr noch als in anderen Romanen haftet dieser Wendung der Charakter des Unwirklichen, Utopischen an. Es ist nicht mehr als eine unrealisierbare Hoffnung. Im Grund sind alle Figuren des Romans, die Indianer natürlich ausgenommen, „losgelassen von der großen gebärenden Erde" (561). Die Erneuerung durch die Berührung mit ihr ist fragwürdig, wenn nicht unmöglich geworden. Die Skepsis gegenüber dem Naturmythos, die darin liegt, daß es den Weißen – von Mariana als Ausnahme vielleicht einmal abgesehen – nicht gelingt, den Rückweg zur „großen gebärenden Erde" zu finden, macht Döblins Konversion verständlich.

Trotzdem feiert er in den letzten Abschnitten von *Der neue Urwald* noch einmal „die großen Muttergewalten", wodurch ein Rahmen um das Gesamtwerk geschaffen wird. Sukuruja sieht freudig den Tanz ihrer Kinder in den Untergang, die so das Land ohne Tod zu finden hoffen. Sie wollen zum großen Vater, der den blauen Tiger der Zerstörung geschickt hat. Sie suchen das Paradies, um aus einer Welt zu fliehen, in welche die Weißen Gewalt und Vernichtung gebracht haben.

Die tief irrationale, mystische Einheit mit der Natur, mit dem Leben, früher doch immer ein Postulat des Döblinschen Menschenbildes, scheint unerreichbar geworden. Da der Mensch sich nicht aus eigener Kraft im Leben halten kann, was die anderen Romane deutlich zeigten, muß etwas anderes an die Stelle des fragwürdig gewordenen Naturmythos treten: die christliche Religion.

13. AUTONOMIE DES MENSCHEN
UND ERGEBUNG IN DEN WILLEN GOTTES IN
November 1918

Bis zu seiner Konversion feiert Döblin die Mächte der Natur und des Lebens, denen sich der einzelne ein-, wenn nicht unterzuordnen hat. Sein Menschenbild negiert die zentrale Stellung des Individuums in der Welt, weshalb Stolz, Hochmut und individuelles Machtbewußtsein seiner Helden immer zerbrochen werden und einer Einordnung in überindividuelle Lebenszusammenhänge Platz machen müssen. Aus dieser gedanklichen Grundstruktur ergaben sich Konsequenzen für die Darstellungsweise, durch die Döblin versuchte, Dynamik und Totalität dieser Lebenszusammenhänge in ihrer Wirkung auf das Individuum zu enthüllen. In dem Augenblick, in dem er sich unter dem Einfluß der Konversion mehr als bisher dem einzelnen zuwendet, treten die oben angeführten Charakteristika seiner Darstellungsweise zurück. Das gilt besonders für den während der Konversion geschriebenen Roman *November 1918*, der nach zahlreichen Umarbeitungen 1948–1950 erstmalig in drei Teilen veröffentlicht wurde.

Aus der Vielfalt der Themen dieses äußerst umfangreichen und komplexen Erzählwerks können wir hier nur die Frage nach dem Menschenbild verfolgen, das sich abermals in seiner Polarität entfaltet. Kann der Mensch aus sich heraus handeln, ist er autonom, oder ist er einem höheren Willen verpflichtet? Ist er bloßes Objekt blinder und zufälliger Mächte, oder wird er von einem höheren Wesen in der Existenz gehalten? So lauten die Fragen, die hinter dem Geschick Friedrich Beckers stehen. Seinem individuellen Schicksal, seiner verzweifelten Suche nach einer Antwort, nach einem neuen Menschenbild, entspricht die hinter der Revolution sichtbar werdende Suche nach einer neuen, gerechten Gesellschaftsordnung:

> Es liefen zwei Dinge nebeneinander und zusammen: das tragische Versanden der deutschen Revolution und der dunkle Drang dieses Menschen. Es erhebt sich für ihn die Frage, wie er überhaupt zum Handeln gelangen soll. Aber dies will er![1]

Die Revolutionäre setzen ihre Hoffnungen auf die Erneuerung der Gesell-

---

[1] Alfred Döblin, „Epilog", S. 394.

schaft. Becker macht hingegen die Erneuerung des Menschen zur Vorbedingung für eine neue politisch-soziale Ordnung. Beide Versuche scheitern: die Revolution, eine Karikatur ihrer selbst, wird nur in ihrer Agonie gezeigt, und Friedrich Becker entfremdet sich auf seiner Gottsuche seinen Mitmenschen.

Sein Weg führt – typisch für die Helden Döblins – von der Selbstgewißheit in die Krise, aus der ihn die Wendung zu Gott erlöst, der jetzt an die Stelle der Naturmächte tritt. Doch der Versuch, aus christlichem Verantwortungsgefühl heraus zu handeln, enthüllt die Korruption der menschlichen Zustände, die Ohnmacht des Individuums, sowie die immer latente Neigung des Menschen, die eigenen Kräfte und Möglichkeiten zu überschätzen und so der Sünde des Hochmuts anheimzufallen. Er geht einen Leidensweg, auf dem er immer wieder versucht, sich dem unbegreiflichen Willen Gottes zu beugen, sich ihm ganz preiszugeben. Damit begegnen auch im Schicksal Beckers die extremen Pole des Döblinschen Menschenbildes: Selbstgewißheit und Preisgegebenheit. Hochmut und Übersteigerung des Ichs werden verworfen und statt dessen Demut und Ergebung in den Willen Gottes gefordert.

Auch Becker, für den der Mensch das Maß aller Dinge war, wird durch die Erfahrung des Schmerzes und der Niederlage zur Bestandsaufnahme gezwungen. Indem Gott und Teufel um seine Seele kämpfen, erhält sein Leben – wie das Fausts – durch das Ringen der metaphysischen Mächte exemplarische Bedeutung. Bereits früh spricht Johannes Tauler gleichsam als Sprachrohr Gottes zu ihm.[2] Er ist nicht zufällig ein Mystiker, denn darin wird wieder der irrationale Zug in Döblins Werk sichtbar, den Hans-Albert Walter mit Recht hervorhebt.[3] Tauler wirft Becker seinen Stolz und Hochmut vor, die schon immer negativ im Menschenbild Döblins waren. Seine Selbstherrlichkeit als Mensch soll erschüttert werden; er soll seine Verwundung und seine Schmerzen willig annehmen, denn nur die Sünder, Armen und Leidenden können der Gnade Gottes teilhaftig werden.

Beckers Reflexion setzt – wie die Edwards in *Hamlet* – ein bei der Frage nach den Ursachen des Krieges, der die Menschen zum bloßen Objekt gemacht hat. Er fühlt sich für den Krieg und das Nachkriegselend, von dem er sich umgeben sieht, mitverantwortlich, obwohl er keinen eigenen Willen hatte: „,Ich war Sand, den der Wind aufhob und dahin und dorthin

---

[2] Vgl. I, 24–25; 37–38; 160; 422–423; II, 204–205; 233; 296–297; 395–396; 424; III, 642; 669; 672.
[3] Hans-Albert Walter, „Alfred Döblin – Wege und Irrwege", S. 875.

wehte.'" (II, 81) Wie Biberkopf hat er „nicht erkannt" (II, 82). Dahinter verbirgt sich aber die entscheidende Frage, inwieweit der Mensch Herr seines eigenen Schicksals ist. Becker, der nicht die Erneuerung der gesellschaftlichen Zustände, sondern vorher die des Einzelmenschen anstrebt, wendet sich dem Christentum zu, bei dem er Antwort auf seine Fragen zu finden hofft.

Wie Edward in *Hamlet* so läßt auch Becker nicht von seiner bohrenden, selbstzerfleischenden Suche nach den Ursachen des Krieges, dem Sinn des Lebens und der eigenen Existenz und den Möglichkeiten verantwortlichen Handelns ab, eine Suche, die ihn immer tiefer in die Verzweiflung treibt, da er eine gültige Antwort nicht finden kann. Er ist der ruhelose Sucher, der Typ des faustischen Menschen, um den sich Gott und Satan bemühen. Sein Gegenbild im Roman ist der Dramatiker Erwin Stauffer, der in liebenswürdiger Weise allen Schwierigkeiten aus dem Weg geht und sich mit der Unverbindlichkeit seiner Existenz begnügt. Zwar fühlt Becker, daß die Natur kein sinnloser Kreislauf ist, aber die mystische Einheit mit der Natur ist keine befriedigende Lösung mehr. Die Unmöglichkeit, einen metaphysischen Fixpunkt zu finden, der ihn im Dasein hält, treibt Becker zum Wahnsinn. Aber sein eigener Stolz steht – wir hatten schon oft Gelegenheit, auf dieses Motiv hinzuweisen! – der Annahme einer Lösung entgegen, in der er sich als abhängig von einem höheren Wesen erweist. Das ist es, was ihm Tauler, sein geistiger Mentor, klarmacht:

> „Du hohes stolzes Gemüt, du wirst nichts als Antwort annehmen, als was dich noch höher und stolzer macht. Du gehst durch das Tor des Grauens und der Verzweiflung. Dein Stolz führt dich diesen Weg. Die Wahrheit wirst du nicht anders finden." (II, 205)

An diesem Punkt, bei Beckers Selbstgefühl nämlich, setzt daher auch der Teufel an, der ihn unter dreifacher Gestalt besucht: als schöner Brasilianer, als Löwe und als Ratte. Bei seinem ersten Besuch in der Maske des schönen Brasilianers appelliert der Teufel an das Bewußtsein seiner Autonomie: „„. . . Sie bestehen darauf, Sie selbst zu sein, Selbst großgeschrieben.'" (II, 209) Aber dieses Selbstgefühl, das so mit dem bösen Prinzip schlechthin identifiziert wird, ist doch auch integrierter Bestandteil des Menschen: Becker erkennt im Gesicht des Brasilianers sein eigenes.

Bei seinem zweiten Besuch als Löwe versucht der Teufel abermals, ihn mit der absoluten Freiheit des Ichs zu locken: „„Kein Gesetz in dir, kein Gesetz über dir. Nur das Ich. Das Dasein des Freien, des Mächtigen. Unser

Dasein brennt und lodert wie das Feuer.'" (II, 231) Doch Becker hält ihm, von Tauler assistiert, die Existenz des Gewissens entgegen als Zeichen einer höheren Instanz, vor der sich der Mensch zu verantworten hat. Das entscheidende Charakteristikum des Döblinschen Menschenbildes wird hier wieder sichtbar: das Zurückweisen der Vorstellung, daß der Mensch autonom ist. Der Glaube an eine solche Autonomie ist – das macht der Handlungszusammenhang deutlich – teuflisch. Das Gewissen wird zum Zeichen einer jenseitigen Instanz, die den Menschen hält und seiner Existenz Sinn verleiht.

Auch dem dritten Vorstoß des Teufels, bei dem er Becker zum Selbstmord überredet, liegt die Vorstellung von der menschlichen Autonomie zugrunde, dank der er frei über sein Leben verfügen, es also auch jederzeit beenden kann. Durch ein an ein Wunder grenzendes Zusammenspiel von Faktoren wird Becker gerettet. Dieses geheimnisvolle Zusammentreffen ist für ihn der Beweis, daß es jemanden geben muß, der stärker ist als der Teufel und seine Ideen.

Nachdem Becker so auf den Tiefpunkt angelangt und durch „das Tor des Grauens und der Verzweiflung" (II, 297) gegangen ist, fügt er sich dem Willen Gottes: „Ich unterwerfe mich dir, ewiger Gott.'" (II, 401) Er erkennt, daß er von Gott in der zeitlichen Existenz gehalten wird und nicht mehr ein Schilfrohr im Winde ist. Seine Leiden, die auch hier die Wendung hervorrufen, begreift er als Sühne für seine Verfehlungen; er bekennt sich zu Schuld und Verantwortung vor Gott. Ja, er versucht – wie sein weiterer Weg zeigt –, sein eigenes Ich auszulöschen, um sich ganz diesem Gott preiszugeben. Gerade das fordert Tauler von ihm: „Hin muß alle Ichheit und ganz verlassen werden.'" (II, 424) Trotzdem aber bleibt der Mensch der Täter: „Du bist und bleibst der Täter.'" (II, 422), sagt Becker zu Maus. Hier wird wieder die Paradoxie im Menschenbild Döblins deutlich. Einerseits ist der Mensch einem höheren Willen unterworfen, andrerseits aber doch der verantwortlich Schaffende. Bei dem Versuch, aus sich heraus zu handeln, endet der Mensch in Hochmut, Stolz und Hybris. Er braucht einen Rahmen, durch den er als Individuum aus seiner Isolation befreit und in übergreifende Zusammenhänge eingeordnet und so in seiner Individualität erst sinnvoll wird. Becker hat diesen Rahmen in der Form des traditionellen Christentums gefunden. Weil damit seine Überlegungen zu einem gewissen Abschluß gelangt sind, schlägt – wie in *Hamlet* – die Reflexion in Aktion um.

Das Christentum erweist sich jedoch nicht als sicherer Besitz, denn in seiner Berufspraxis als Lehrer sieht er sich erneut mit diesen Problemen konfrontiert, zunächst bei der Lektüre von „Ödipus" und „Antigone". Gerade „Ödipus" nämlich zeigt „die völlige Ohnmacht des Menschen gegenüber einem unentrinnbaren Schicksal" (III, 193). Abermals wird so die Frage nach den Möglichkeiten des Handelns und der Verantwortlichkeit aufgeworfen. Antigone fühlt sich – wie Becker – einem göttlichen Gesetz verpflichtet, sie „unterwirft sich dem göttlichen Gebot" (III, 202), geht aber gerade deshalb zugrunde.

Der theoretischen Erörterung folgt die praktische Erfahrung; die Problemstellung der Dramen erfährt Becker nunmehr im Leben; er bewegt sich „auf den Spuren der Antigone" (III, 437). Die Affaire um den Direktor, in die er helfend und ordnend einzugreifen sucht, zeigt ihm aufs neue die Grenzen der Kompetenzen und Möglichkeiten des Individuums, das sich der Korruption der Gesellschaft gegenüber als völlig hilflos erweist. Doch wie Wang-lun erkennt auch Becker, daß paradoxerweise seine Schwäche seine Stärke ist, und daß er noch nicht schwach genug ist. Er fühlt, daß seine Leiden und seine Ohnmacht nur dazu dienen, ihm diese Schwäche immer deutlicher vor Augen zu führen: „Ich bin noch zu starr und zu erwartungsvoll. Ich bin noch ohne die rechte Schwäche. Da müssen noch mehr Leiden über mich kommen." (III, 428) Doch wehrt er sich gegen dieses Gefühl der Ohnmacht, Sinnlosigkeit und Verzweiflung, das ihn konvulsivisch überkommt, als er die Stadt auf der Suche nach Heinz Riedel, dem „Freund" des Direktors, durchstreift. Er zweifelt daran, irgendeinen Einfluß auf den Gang der Ereignisse nehmen zu können: „Ich habe mich geirrt, weiter nichts als geirrt. Ich glaubte, hier etwas aufhalten zu können. Aber das bilde ich mir nur ein. Dafür büße ich. (III, 507)

Als Becker in dem Kampf um das Polizeipräsidium gezwungen wird, Partei zu ergreifen, fühlt er wiederum die Verwirrung des Daseins, das ihn nötigt, gegen seine Überzeugungen zu handeln.[4] Als die ersten Opfer des Kampfes, darunter Minna Imker, vorbeigetragen werden, schlägt er sich auf die Seite der Revolutionäre, nicht aus ideologischen Gründen, sondern

---

[4] Vgl. auch: Alfred Döblin, „Christentum und Revolution", In: *Aufsätze zur Literatur*, S. 379–383. – In diesem Aufsatz geht Döblin im Anschluß an seinen Roman *November 1918* näher auf den Konflikt zwischen den Forderungen des Christentums und denen der Revolution ein. Für ihn steht als Christ fest, „daß man mit Waffengewalt den Zustand dieser Welt nicht ändern soll" (382). Das bedeutet aber nicht „bloß tragen und ertragen und sich zum Opfer machen" (ebd.). Auch hier tritt die Dialektik des Menschenbildes zwischen Auflehnung und Unterwerfung deutlich zutage. Mit Glauben, Liebe und Hoffnung soll der Christ für seine Überzeugung kämpfen, doch nicht sich bedingungslos unterwerfen.

weil er in ihnen das Leiden der Menschheit sieht. Die Stimme des Herzens gilt mehr als die Gebote der Religion; hier schon wird die Diskrepanz zwischen Christentum und Leben sichtbar.

Becker versucht, weiter als Christ zu leben. Da er sein Christentum zu wörtlich nimmt, erfährt er nur die Schlechtigkeit der Gesellschaft. Er ist „herausgeschleudert aus der menschlichen Ordnung" (III, 655). Die Schlingen, die ihm der Teufel in Gestalt von Frauen legt, akzeptiert er als Mittel der Selbsterfahrung und Selbstpreisgabe:

> „Ich gebe mich preis. Ich setze mich aufs Spiel. Ich will mein spezifisches Gewicht ermitteln. Ich – will mich gerade nicht auf diese fragmentarische Welt beschränken. Ich will meinen Tod auflösen. Ich will in die Aktivität hinein, in die ganze und wirkliche." (III, 640-641)

Beckers Suche führt – wie hier offenbar wird – über sein eigenes Ich hinaus. Wie die anderen Figuren Döblins sucht er die reinigende Kraft von Leid und Schmerz, indem er sich selbst vernichtet. Zu seinem diesseitsfreudigen Freund Krug sagt er: „Man muß sich zerstören, Krug, sonst wird aus einem nichts.'" (III, 641) Auflösung des Ichs, um die Grenzen des Individuums zu überwinden, um sich mit dem Urgrund der Existenz zu vereinigen und so den Tod zu besiegen -- das ist Beckers Weg.

Aber offensichtlich mißversteht er die Forderung nach Unterwerfung, „Entichung" und Depersonalisation als Selbstzerstörung. Das jedoch ist nicht gemeint, wie aus den Worten Taulers hervorgeht: „,Du sollst dich entformen, dich entbilden. Aber in aller Verlorenheit sollst du den Grund nicht verlieren, das Leben über allem Leben.'" (III, 642) Becker soll sich zwar aufgeben, aber nicht indem er sich quält, sondern indem er sein Ich preisgibt an den Urgrund: „,Du sollst dich verleugnen, aber anders als du tust. Du sollst tief und tiefer sinken, in den ungenannten Abgrund sollst du sinken, wo alles seinen Namen verliert.'" (III, 642) Nicht zufällig bedient sich Döblin hier mystischer Vorstellungen und Wendungen, die wohl auf seine Tauler-Lektüre zurückgehen. Beckers Christentum ist mystisch, weil er nach der Einheit mit dem Schöpfer als dem Urgrund allen Seins strebt.

Er geht den Leidensweg weiter, den er sich selbst auferlegt, ein sich Opfernder, da kein Opfer Gott erreicht, sondern nur „der Opferer" (III, 643). Damit wird deutlich, wie wenig sich im Grunde am Menschenbild Döblins geändert hat, vor allem im Hinblick auf *Berlin Alexanderplatz*. Brachten die Gestalten Döblins früher ihren Hochmut und sich selbst einem irrationalen Lebenszusammenhang, der das Individuum trägt und durch es hindurchgeht, als Opfer dar, so übergibt sich Becker jetzt dem Willen Gottes:

> „Wie Jesus zugab, daß man ihm seine Kleider abriß, ja ihm mit Peitschenhieben die Haut ablöste, bevor man ihn zum höchsten Opfer annagelte, so müssen wir alles Schwache, Schlechte und besonders den Hoch- und Übermut abreißen, um uns Gott darbieten zu können. Wir müssen uns nicht nur in Worten, sondern ganz darbieten. Hingabe ist das Wort." (III, 644)

Die Absolutheit dieser selbstauferlegten Forderung stempelt Becker zum Sektierer und Kirchenstürmer; sie macht ihn zum Sonderling. Aber auch sein Anspruch, das Christentum in seiner Absolutheit erfüllen zu können, ist nur eine andere Form des Hochmuts, ein Übermaß, das wieder auf sein Maß zurückgeführt werden muß; deshalb kann ihn der Satan doch noch besiegen. Becker schließt mit dem Teufel, der ihm die Nichtigkeit und Besinnungslosigkeit des Menschen vor Augen führen will — ein Gedanke, den Becker ablehnt —, einen Pakt. Der Teufel praktiziert ihm zu seiner eigenen Seele die eines Schiffers in die Brust. Die fremde, böse Seele scheint zu siegen. Becker wird zum Kriminellen. Wieder ist es der Hochmut gewesen, der Becker verführt hat, denn er glaubte, der anderen Seele und dem Teufel gewachsen zu sein; doch die wirkliche Demut fehlt ihm. Er war immer noch zu sehr von seiner Stärke überzeugt, anstatt sich in den Willen Gottes zu ergeben; sein Engel Antoniel weist ihn darauf hin:

> „Du konntest nicht hören. Du konntest nicht hinfallen und beten: Herr, der du diese Welt geschaffen hast, ich danke dir, ich lobe dich, ich preise dich, ich bin dein Geschöpf, gesegnet bin ich durch dich. Dein Wille geschehe, wie im Himmel also auch auf Erden." (III, 680)

Und noch einmal ermahnt er ihn: „„Fürchte den Herrn. Fürchte den Herrn. Friedrich, laß sinken. Gib nach.'" (III, 681)

Wie in *Berlin Alexanderplatz* zwischen der Hure Babylon und dem Trommler Tod kommt es auch hier zu einer apokalyptischen Schlacht zwischen dem Teufel und den Vertretern Gottes. Satan wird vertrieben, Beckers Seele aufgehoben, obwohl sein Leichnam aus Furcht vor der Polizei ins Wasser geworfen wird. Trotzdem er bis zuletzt seinen Hochmut und den Glauben an seine Stärke, der sich sogar noch hinter seinem Christentum verbarg, nicht hat ablegen können, wird sein Streben doch wie in *Faust* belohnt.

Auch die Hoffnung auf die göttliche Gnade und Gerechtigkeit, die hier am Schluß auftaucht, kann die pessimistische Auffassung vom Menschen in diesem Roman nicht abschwächen. Das generelle Verdikt über die Gesellschaft aus *Amazonas* und *Der neue Urwald* wird wiederholt. Daran ändern auch die positiven Gegenbilder – Beckers Mutter und Hilde beispielsweise – wenig. Karl Liebknecht und Rosa Luxemburg, die eine gerechte Gesellschaftsordnung durchsetzen wollen, scheitern – und mit ihnen die Revolution. Vor allem Liebknecht kann sich nicht konsequent zum revolutionären Handeln entschließen. Becker findet zum Christentum, doch erscheint dieses Christentum als nicht praktikabel, und selbst unter seinem Zeichen erliegt er noch dem Hochmut. Vergleicht man Becker und Liebknecht, so zeigt sich wieder die Antithetik des Menschenbildes: Becker wird kritisiert, weil er zu sehr an seine Stärke glaubt, Liebknecht, weil er diesen Glauben nicht hat, weil er durch sein Zögern und seine Entschlußlosigkeit die Möglichkeit zur Veränderung der Gesellschaft vertut.

Die Aspekte dieses Menschenbildes und der Gesellschaft sind so düster, daß Döblin nicht dabei stehenbleiben wollte und in *Hamlet* versuchte, ein optimistischeres Bild des zeitgenössischen Menschen zu entwerfen.

14. FREIHEIT UND DETERMINATION IN
Hamlet oder Die lange Nacht nimmt ein Ende

Wie kein anderer ist dieser letzte Roman Döblins beherrscht von der Suche nach einem positiven Bild des Menschen und der Frage nach seiner Bestimmung. „„Was ist der Mensch?"" (133) fragt Gordon Allison seine Zuhörer. „„Und wenn es doch den Menschen gäbe?"" (154) hält Edward seinem Vater entgegen. „Gibt es den Menschen?"" fragt er ihn. Und wieder denkt Edward bei sich: „Gibt es den Menschen – ein denkendes freies Wesen?" (487)

Wie Friedrich Becker wirft auch Edward Allison diese Frage auf, nachdem er Leid und Grauen des Krieges erfahren hat. Bei seiner unerbittlichen Suche nach Wahrheit entdeckt er Schuld und Verfehlung im eigenen Elternhaus, was die Parallele zu Shakespeares *Hamlet* deutlich werden läßt, auf die bereits der Titel anspielt: Shakespeares *Hamlet*-Tragödie ist der Hintergrund, von dem sich das Romangeschehen abhebt. Edward identifiziert sich zwar häufig mit Hamlet, aber ihr Schicksal ist ähnlich und verschieden zugleich. Es gleicht sich, denn beide kehren in die Heimat zurück und suchen im eigenen Haus nach der Wahrheit der menschlichen Beziehungen und sind dauernd in ein Gewebe von Wahrheit und Lüge, Sein und Schein verstrickt. Ihr Schicksal ist jedoch auch verschieden, denn Hamlet geht zugrunde, während Edward und seine Eltern sich selbst wiederfinden. Edward gewinnt wenigstens die H o f f n u n g auf ein sinnerfülltes Leben zurück, er überwindet den „Hamlet-Spuk" (573).

Döblin umkreist die Frage nach dem Menschenbild in einer für ihn typischen Weise. Durch die im Hause Gordon Allisons erzählten Geschichten werden verschiedene Auffassungen vom Menschen bildhaft ausgesprochen. Diese Erzählungen, die der Weltliteratur entnommen sind und häufig Parodien darstellen, spiegeln aber nicht nur den Blickwinkel der einzelnen Figuren, sondern müssen gleichzeitig auf die Mitglieder der Familie Allison bezogen werden, so daß ein sehr komplexes Beziehungsgeflecht entsteht.

In diesen Erzählungen werden zwei Ansichten vom Menschen sichtbar, die sich diametral gegenüberstehen; einerseits ist der Mensch das Produkt überindividueller Kräfte, die stellvertretend für ihn handeln, andrerseits ist er unabhängig und also für sein Handeln voll verantwortlich.

126

Nachdem Gordon Allison einleitend als ein Mann „mit auswechselbarer Persönlichkeit" (42) geschildert worden ist, eröffnet er selbst den Reigen mit „Die Prinzessin von Tripoli". Die romantische Erzählung von dem Minnesänger Jaufie Rudel de Blaia, die unter anderem aus Swinburne bekannt ist, wird von Allison desillusioniert und ironisiert, indem er ihren romantischen Gehalt und die Figur Jaufies und seine Handlungen auf die kulturellen und sozialen Bedingungen der Zeit zurückführt. Er will damit beweisen, daß der Mensch das Produkt von Sitte, Gesellschaft und Ideen ist:

> „Man glaubt sich im Sattel, scheint zu reiten, später kommt es einem anders vor. Manchmal hat man die Vorstellung: es sei da eine Spinne und ein Spinnetz, aber wir sind nicht die Spinne, sondern die Fliege, die im Netz zappelt." (49)

Nach Gordons Ansicht wird der Mensch von überindividuellen Gegebenheiten determiniert; Freiheit und Verantwortung des Handelns erweisen sich daher als Illusion.

Edward kann und will sich mit dieser Antwort nicht zufrieden geben; er setzt seine unerbittliche Suche nach Wahrheit fort, für die ihm Kierkegaard zum Symbol wird. Durch die Fabel vom Löwen auf dem Berg Mondora, der in einem See sein Spiegelbild erblickt, sich nicht darin erkennt und bei dem Versuch, es zu bekämpfen, ertrinkt, drückt Edward ebenso bildhaft seine Situation aus: er erkennt in den Menschen, in die er wie in einen See blickt, sein Spiegelbild nicht mehr. Durch das Grauen des Krieges ist ihm das vertraute Bild des Menschen verlorengegangen, entfremdet worden, so daß er nun unermüdlich auf der Suche nach einem Menschenbild und seiner eigenen Identität ist.

Bei seinem Versuch, den Vater zu widerlegen, bleibt Edward nicht allein. Die von Miß Virginia erzählte Legende vom Knappen und dem Ring soll demonstrieren, daß der Mensch eben nicht das Produkt überindividueller Kräfte ist, sondern das umgekehrt, diese aus einem neuen Menschen entstehen.

Doch Gordon beharrt auf seinem Standpunkt; er glaubt nicht an die Existenz „von sogenannten eigenen und freien Handlungen" (153). Für ihn sind die Menschen Marionetten, die von unsichtbaren Fäden gelenkt werden: „Man rückt mehr und mehr ab von sich. Man gibt es auf. Man kommt gegen das hinter der Szene nicht auf.'" (154) Für Gordon gibt es den Menschen als verantwortungsbewußt handelndes Individuum nicht.

Auch in den Gesprächen mit James Mackenzie, dem Bruder seiner Mutter, findet Edward keine befriedigenden Antworten auf seine Fragen. Mackenzie ist ein kluger, unverheirateter Professor, der sich mit entlegenen Studien befaßt, ein Indienkenner (!), der die Vorgänge im Hause Allison aus der Distanz betrachtet. Die Thesen Mackenzies, das Bild des Menschen, das er entwirft, entstammen deutlich dem *Ich über der Natur:* eine wirklich menschliche Existenz ist nur möglich durch Selbstaufgabe und Teilhabe an den überindividuellen Vorgängen der Natur. Zur Erkenntnis der wahren Zusammenhänge gelangt man nur „,durch die Selbstaufgabe, von der wir sprachen, das Hinüberfließen des einen zum anderen. Aus der Zweiheit – Ich und die Welt – gelangt man zur Nichtzweiheit."" (203)

Diese Vorstellungen, die grundlegend für Döblin sind, werden nicht nur von Edward schroff abgelehnt, weil er darin den Versuch sieht, ihn seines Bewußtseins zu berauben, sondern sie werden auch durch die Person Makkenzies deutlich in eine ironische Distanz gerückt. Er ist „der nachdenkliche Professor, der alles wußte und sich und allem aus dem Weg ging" (399) Seine „milde Therapie" (279) schlägt angesichts der unbedingten Notwendigkeit, Stellung zu nehmen, nicht mehr an. Edward jedenfalls sieht in seinen „Weisheiten" nur ein Täuschungsmanöver, durch das man ihn von seinen Fragen abzulenken sucht.

Verbunden mit der Suche nach einem Menschenbild ist die Frage nach der eigentlichen Identität der Hauptfiguren. Wer verbirgt sich hinter der „auswechselbaren" Persönlichkeit Gordon Allisons, wer hinter der seiner Frau? Da die erzählten Geschichten nicht nur Standpunkte erläutern, sondern im wachsenden Maße auch Antworten auf diese Fragen geben sollen, bekommen sie eine Vieldimensionalität, wobei die enthüllende Funktion in den Vordergrund tritt. Das gilt besonders für die Geschichte vom König Lear, die James Mackenzie anstelle des von Edward gewünschten „Hamlet" erzählt.

In der für den Roman typischen Weise wird diese Geschichte Lears desillusioniert und entmythologisiert. Lear kämpft gegen die Versklavung durch einen Mythos, dessen Opfer er geworden ist. In der Gestalt des Königs will Mackenzie jedoch den Charakter seines Schwagers aufdecken, indem er ihn als einen listigen und gewalttätigen Herrscher darstellt, der in seinem Bestreben, sich Raum für seine Vitalität zu schaffen, alle Schranken beseitigen möchte.

Die Frage nach der Identität der Familienmitglieder, besonders seiner Eltern, und die Suche nach einem verbindlichen Bild des Menschen laufen jedoch immer parallel. So beleuchtet die Lear-Erzählung einerseits den

Charakter Gordons und seiner Ehe, andrerseits aber entzündet sich an ihr erneut die Diskussion um die Situation des Menschen, um Freiheit und Verantwortung auf der einen und Determiniertheit auf der anderen Seite. Erneut sieht sich Gordon in seiner Auffassung bestätigt: „. . . also es gibt keine solche ‚Realität‘, wie wir sie uns vorstellen, sondern sie ist immer von Bildern und Phantasien beherrscht: mehr als das, diese formen die Welt, unabhängig vom Willen des einzelnen Menschen." (275)

Auch für Edward verbirgt sich hinter der Geschichte Lears nur seine alte Frage nach der Verantwortlichkeit des Menschen. In dem Gespräch mit seinem Onkel sucht er sich zu vergewissern:

Edward: „Versteh' ich recht, so war Lear, von Haus, von Geburt an, durch Geburt unweigerlich Eber. Er war also unschuldig."
James: „Er war verantwortlich. Er kann nicht ausweichen."
Edward: „Trotzdem er von Haus, von Natur so war?"
James: „Er hat seine Macht mißbraucht. Er hat sich losgelassen. Er glaubte, sich loslassen zu dürfen. Es traf ihn dann auch."
„Und mit Recht. Dies war notwendig?"
James: „Ich denke schon." (276)

Das unzweideutige Bekenntnis zu Täterschaft und Verantwortung des Menschen, das hier von James Mackenzie ausgesprochen wird, wird am Ende des Romans von allen Figuren wiederholt. Die Ausdeutungsmöglichkeiten dieser Geschichte sind damit aber noch nicht erschöpft. Lear wird für Mackenzie zum negativen Beispiel seiner eigenen Einsichten, er ist ein negatives Bild des Menschen:

„Das ist und so ist das Ich. Da hast du das Bild unseres gefräßigen, unersättlichen Ichs. Es will mit nichts übereinstimmen. Es will einzig, unverwechselbar sein. Es will keinen Zusammenhang. ‚Ich‘ kann nur bis eins zählen. Kein Akkord entsteht." (280)

Noch einmal äußert so Mackenzie seine Einsichten, die früher das Menschenbild Döblins bestimmten. Doch angesichts der Notwendigkeit, Stellung zu beziehen, bleiben sie ungehört.

Edward forscht nach den Ursachen des Krieges, an dessen Folgen er selbst leidet, und immer mehr findet er die Gründe für die Katastrophe in der menschlichen Natur selbst. Folgerichtig wendet er sich seinen Elern zu. Unter seinen Fragen treten die zunächst verborgenen Spannungen in der Ehe seiner Eltern zutage, bis sie sich schließlich auflöst. Edward sucht ihre Vorgeschichte in Erfahrung zu bringen, die ihm dann teils direkt, teils indirekt mitgeteilt wird. Alice, die bereits durch die zwei Erzählungen von den auf die Heimkehr ihrer Söhne wartenden Müttern um seine Liebe gerungen hatte, stellt sich dar als die Sünderin Salome und als die heilige Theodora. In der Geschichte von Pluto und Prosperina schildert sie aus ihrer Sicht ihre Ehe. Gordon antwortet mit der Interpretation von Michelangelos Sonetten, in denen er sich selbst, seine Sehnsucht nach Liebe und seine Unmöglichkeit zu lieben gespiegelt findet. Für Edward führen jedoch alle diese Erzählungen immer wieder nur auf die eine Grundfrage nach Autonomie oder Determiniertheit des Menschen zurück. So bemerkt er im Anschluß an ihre Geschichte zu seiner Mutter:

> „Aber, warum überhaupt Strafe und Urteil und das ganze Höllenwesen, wenn die Parzen dasitzen und von ihrem Webstuhl und ihrer Arbeit alles abhängt? Dann ist alles festgelegt. Wir treten fertig ins Dasein. Wir haben kein Schicksal. Wir erdulden es nur." (323)

Edward wehrt sich gegen eine nur passive Rolle des Menschen, die ihm keinen Raum zu selbständigem und verantwortlichem Handeln läßt. Die Diskussion, die hier mit Hilfe von Erzählungen geführt wird, endet jedoch – jedenfalls was die Suche nach einem Menschenbild betrifft – immer bei denselben Fragen und Antworten, die Identität der einzelnen Figuren wird allerdings immer klarer. Aber es ist jetzt – wie in *November 1918* – der Punkt erreicht, wo sich die Auseinandersetzung im Kreis bewegt. Die Antwort auf die sich immer neu stellende Frage nach der menschlichen Handlungsfreiheit und Verantwortlichkeit kann nur noch vom Leben selbst gegeben werden: das Erzählen von Geschichten geht immer mehr über in unmittelbare Handlung. Gordon und später Kathleen verlassen das Haus, alle hören auf, eine Rolle zu spielen, sie suchen nach ihrer Identität und damit nach einem verbindlichen Menschenbild. „Die lange Nacht der Lüge ist vorbei." (420) Auch zwischen Edward und seiner Mutter kommt es zum Bruch. Doch auch für ihn, der die Ursache für den Zerfall der elterlichen Ehe ist , in dem paradigmatisch der Zustand der Gesellschaft dargestellt wird, scheint der Mensch mehr denn je ein unfreies, von dunklen Mächten getriebenes Wesen zu sein:

> Es ist mir sicher, ich habe es erfahren: es steht etwas in uns oder hinter uns, das läßt uns denken und dirigiert uns. So steckt dieser alte Schrecken in mir, aus einer Zeit, an die ich längst keine Erinnerung mehr hatte, und trieb mich. War ich also da? Frei, verantwortlich? War ich schuldig? Ich bewegte mich wie ein

Schauspieler auf der Bühne, nach einem Textbuch, das ich nicht kannte, aber man soufflierte mir die Worte und Handlungen.

Ein Aufsichtsrat über meine Vernunft, hinter, unter der Vernunft, die ich kurioserweise für meine nahm.

Und so muß auch Mutter getrieben sein. Auch bei ihr die dunkle Unter- und Übervernunft. Auch — bei Vater. Alles gegeneinandergeführt — Mutter gegen Vater und Vater gegen mich. (486—487)

Auch Edward hat hier also das Gefühl, bloßes Objekt dunkler Mächte zu sein, nicht aber frei handelndes Subjekt. Doch wird er später zu der Einsicht gelangen, daß der Mensch seine Taten selbst bestimmt und somit verantwortlich ist.

Während Edward versucht, die Instanz zu enthüllen, die das menschliche Handeln bestimmt, erklärt Alice sich für frei, bindungslos, kurz für autonom, ein Versuch, der – typisch für Döblin – zum Scheitern verurteilt ist. „Ich würde keinem Gott meine Freiheit abtreten und mich von ihm führen, loben und strafen lassen.'" (522) Entscheidend ist jedoch, daß ihr vermeintlicher Weg in die Freiheit ein Weg in die Selbstpreisgabe ist: „Ich kann alles bis zum Letzten, was ich habe, wegwerfen.'" (525) Da es nach der Meinung der desillusionierten Alice nichts, kein Wertzentrum, mehr gibt, an dem man sich orientieren könnte, wird es vollkommen gleichgültig, wie man sich verhält:

Der Bankier hat recht: man müßte denen, die behaupten, es gäbe etwas, woran man sich halten könne, ins Gesicht schlagen. Und darum waren auch alle Fragen nach Schuld, Verantwortung sinnlos. Denn man kann alles. Man kann auch Kriege machen. Und warum nicht? Man ist Rauch, Spielball. Man kann auch Herr sein, Tyrann, Bestie. (533)

Hier werden die beiden Extreme des Menschenbildes wiederum sehr deutlich. Ist der Mensch bloßes Produkt, Objekt zufälliger Mächte oder ist er doch der Handelnde, das Subjekt? Alle Figuren stehen vor dieser Frage. Beide Extreme gehören der Natur des Menschen zu, aber erst das Leben selbst hebt die Gegensätze auf.

Nicht zufällig wird Alice am Ende ihres Weges zum Medium. Denn hier, wo sie nur noch Mittel ist, ist ihre Selbstpreisgabe vollkommen. Auf dem tiefsten Punkt aber vollzieht sich in Alice wie in Gordon die Wendung.

Gerade durch die Auflösung seiner Ehe hat Gordon erfahren, daß kein blinder Zufall herrscht, sondern Notwendigkeit, eine Notwendigkeit, die Alice und ihn zusammenzwingt, da nur sie sich gegenseitig aus ihrer Iso-

lation befreien können. Die Vorstellung von der Beliebigkeit und Zufälligkeit des menschlichen Daseins, das von überindividuellen Kräften determiniert wird, weicht der Idee der Notwendigkeit und „Verklammerung",
die schon früher in anderem Zusammenhang begegnet ist: „Wir haben
falsche Vorstellungen von einem Ich. Solch Ich ohne Du und den ganzen
Abgrund gibt es nicht. Langsam wirst du dir abgelockt.'" (540) Mehr noch
als in diesen Worten distanziert sich Gordon durch die Suche nach seiner
Frau von den Thesen, die er in seinen Erzählungen vertreten hat. Gordon
und Alice sterben, aber wie Gordon zu der Einsicht gelangt, daß es doch
keine Zufälligkeit gibt, so versteht Alice ihr Leben, das sie zuletzt geführt
hat, als Buße. Ihr Weg in die Freiheit, der sich als der in die Selbstpreisgabe
entpuppte, wird erst durch diese Umdeutung zur Sühne für frühere Schuld
sinnvoll. Indem sie ihr Leben als Buße und Sühne für ihre Verfehlungen
begreift, gibt sie ihm ihren Sinn zurück.

Auch Edward vollzieht die Wendung zum Positiven: er entdeckt das
Leben als Aufgabe und großen Zusammenhang. Er nimmt sein Theaterstück
zurück, das in der dem Roman eigenen Vieldeutigkeit den chamäleonartig
sich wandelnden Charakter des Vaters andeuten und zugleich das Leben
als Kreislauf enthüllen sollte: „Was mich anlangt, so ziehe ich jetzt das
Theaterstück zurück. Wir fahren nicht in der Runde, nein, wir fahren nicht
in der Runde.'" (571) Der „Hamlet-Spuk" (573) ist für ihn vorbei. Die
Suche nach der Wahrheit in den menschlichen Beziehungen endet für
Edward nicht wie für Hamlet mit dem Tod, sondern mit einer optimisti-
schen Aussicht auf das Leben, das er neu zu entdecken beginnt, und in dem
er eine Aufgabe sieht, die nicht zufällig sozialer und karitativer Art ist.

So zeichnet Döblin in seinem letzten Roman ein Bild des Menschen, das
nicht mehr allein — wie in so vielen seiner Werke — bestimmt ist durch die
Negierung des Handelns. Die Figuren und die Romanhandlung demonstrieren, daß der Mensch letztlich sein Handeln doch selbst bestimmt und
dafür verantwortlich ist. Diese Wendung hat um so mehr Gewicht, wenn
man berücksichtigt, daß zwei Romanfassungen existieren, in denen noch einmal die beiden konträren Positionen, zwischen denen Döblins Helden
schwanken, deutlich werden. In der vorliegenden Fassung tritt Edward
zweifellos in ein aktives und verantwortungsbewußtes Leben ein. In der
früheren Fassung geht er ins Kloster und weicht damit dem Leben und
seiner Komplexität aus. Diese Änderung erhöht die Bedeutung der Wendung, die im Roman vollzogen wird:

Ist Edward in der ersten Fassung noch Gegenstand oder Objekt der Erzählung, so tritt er in der zweiten entschieden als ihr Subjekt auf. Es wird über ihn nicht mehr nur berichtet, er spricht nun selbst und in eigener Sache. Das mag Ausdruck dafür sein, daß er mündig geworden ist. Der Gegensatz, den die beiden Fassungen zeigen, der Gegensatz zwischen Kontemplation und Aktivität, zwischen Stillesein und Aufbegehren, durchzieht Döblins Gesamtwerk und kennzeichnet ihn selbst.[1]

[1] Heinz Graber, „Zum Text der Ausgabe", In: *Hamlet*, S. 595–596.

III. ZUSAMMENFASSUNG UND SCHLUSS

In der vorliegenden Untersuchung, die das Menschenbild im Romanwerk Alfred Döblins behandelt, wurde ein ganz bestimmter Aspekt in das Zentrum der Betrachtung gerückt, nämlich die „dialektische Spannung", die der wesentlichste Zug dieses Menschenbildes ist. Auflehnung und Unterwerfung, Macht und Ohnmacht, Hochmut und Demut, Handeln und Nicht-Handeln, Größe und Kleinheit, der Mensch als „Stück und Gegenstück" der Natur, als Subjekt und Objekt des Schicksals – durch diese Antithetik ist das Bild des Menschen im Werk Döblins charakterisiert. Bei der Erörterung dieser dialektischen Auffassung von der Rolle des menschlichen Individuums wurde die Chronologie durchbrochen, um zunächst am *Wang-lun* die Problemstellung klarzulegen und diese dann in Beziehung zu den naturphilosophischen Gedankengängen Döblins zu setzen. Anschließend wandten wir uns den epischen Werken von *Der schwarze Vorhang* bis *Hamlet* in chronologischer Reihenfolge zu.

Von ausschlaggebender Bedeutung für das Verständnis dieser Dialektik im Menschenbild Döblins ist seine naturphilosophische Konzeption, wie sie am klarsten in der Schrift *Das Ich über der Natur* sichtbar wird. Auf die Wichtigkeit dieser Abhandlung hat mit als erster Oskar Loerke nachdrücklich hingewiesen.[1] Döblin versucht hier, die in seinen Romanen immer wieder begegnende Antithetik der menschlichen Existenz aufzulösen, indem er das Individuum mit seinem privaten Ich zu einer Emanation des großen, geistigen, die Welt durchwirkenden Ur-Ichs macht. Die Gestalten seiner epischen Werke, in denen Döblin diese Konzeption auf den Prüfstand des Lebens bringt, halten jedoch zäh an ihrer Individualität fest und sind zur Selbstpreisgabe an das Ur-Ich erst im Tod bereit.

Die Dialektik des Menschenbildes durchzieht nicht nur die einzelnen Werke, sondern bestimmt auch weitgehend deren Verhältnis untereinander. Die Position, die am Ende eines Buches erreicht ist, wird – wenn nicht in diesem selbst – so doch im nächsten wieder in Frage gestellt, gelegentlich

---

[1] Oskar Loerke, „Das bisherige Werk Alfred Döblins", In: *Alfred Döblin. Im Buch. Zu Haus. Auf der Straße.* S. 119.
(Auch in: Oskar Loerke, Gedichte und Prosa, II Die Schriften, ed. Peter Suhrkamp, S. 560–604, unter dem Titel: „Alfred Döblins Werk 1928".)

mit dem Mittel der Ironie, wie vor allem im *Wadzek* und in *Babylonische Wandrung.*

Bemerkenswert ist, daß Döblins politische und soziale Schriften von einem Willen zur Entscheidung und einer Bereitschaft zur Tat getragen sind, welche die eine Grunderfahrung seiner epischen Werke, nämlich die der Sinnlosigkeit und Nichtigkeit der menschlichen Existenz, Lügen zu strafen scheinen. Auch hier, zwischen diesen Werkgruppen, finden wir also dieselbe Dialektik wirksam, die für sein ganzes Schaffen bestimmend ist.

Ganz bewußt wurde nicht versucht, dieses antithetische Menschenbild mit der sehr intensiven philosophischen Lektüre Döblins in Verbindung zu bringen. Wie Links mit Recht bemerkt, mündet Döblins Studium der Philosophie in einen „philosophischen Eklektizismus"[2], der es fast unmöglich machen dürfte, seine Gedankengänge genau fixierbaren philosophischen Systemen zuzuordnen, denen er, nach eigenen Lösungen suchend, ohnehin skeptisch gegenüberstand.

Ein weiteres Charakteristikum des Döblinschen Menschenbildes ist — neben der immanenten Dialektik — die damit verbundene Absage an die Autonomie des Menschen, ja die Forderung nach einer gewissen Entindividualisierung, Depersonalisation und „Entichung". Der Wille zu weltgestaltender Aktivität, zur Dominanz der Umwelt, führt daher nicht selten zu Hybris und Selbstvernichtung des Menschen. Diese das Schicksal herausfordernde Haltung muß daher immer wieder durch die Erkenntnis von der Notwendigkeit der bewußten Einordnung in überindividuelle Zusammenhänge korrigiert werden. Wie bei vielen Expressionisten – Döblin steht hier keineswegs allein! – ist seine Auffassung durch eine bewußte Abwendung von Nietzsches Kult des Übermenschen bestimmt.[3] Der Forderung nach „Entichung", nach Bereitschaft zur Rückkehr in das Ur-Ich, entspricht die Aufwertung der Dingwelt gegenüber dem Menschen, die in dem frühen Stück *Lydia und Mäxchen. Tiefe Verbeugung in einem Akt* und später im *Märchen vom Materialismus* dargestellt wird. Die Welt der Dinge verselbständigt sich und emanzipiert sich von den Gesetzen, die ihr der Mensch aufoktroyiert hat, dessen zentrale Stellung in der Welt nunmehr geleugnet wird.

Diese Negierung der zentralen Stellung des Menschen, die Döblin andrerseits aber doch wieder zu rechtfertigen sucht, der Versuch, das Individuum

---

[2] Roland Links, *Alfred Döblin*, S. 71.
[3] Vgl. dazu besonders das Kapitel „Anti-Zarathustra" in Walter H. Sokels Buch *Der literarische Expressionismus* (München, o. J.), S. 175–201.

in eine allseitige Kommunikation mit der Welt zu setzen, hat entscheidende Konsequenzen für die Darstellungsweise. Zwar bleibt im Grunde das Schema des Bildungs- oder Entwicklungsromans unangetastet, aber es dringt eine nie dagewesene Fülle von Welt unmittelbar in den Roman ein, was eine Absage an die Beschreibung des isolierten Lebenslaufes eines einzelnen bedeutet.

Das um seine zentrale Stellung in der Welt gebrachte Individuum verlangt jedoch nach einer neuen Definition seiner Rolle. Döblin kompensiert den Verlust durch die Erkenntnis, daß das geformte Individuum – so zerbrechlich diese Form auch immer sein mag – notwendig ist zum Vollzug der Welt.

Wie wir sahen, durchliefen Döblins Figuren einen bestimmten Prozeß, der im Grunde der des Bildungs- oder Entwicklungsromans bleibt. Im Laufe dieses Prozesses wandelten sie sich von selbstsicheren, stolzen und von ihrer Einmaligkeit überzeugten Individuen zu Menschen, die sich im Bewußtsein ihrer Kleinheit und Beschränkung demütig den überindividuellen Gewalten Natur, Schicksal und Gott beugten. Hervorgerufen wurde diese Wendung immer durch die Erfahrung der Phänomene der Liebe, des Todes und des Schmerzes, welche die Grenzen eines mißverstandenen Individualitätsbewußtseins aufzeigen.

Mit seiner Suche nach einem neuen Menschenbild steht Döblin in seiner Zeit nicht allein. Der Versuch, das Bild eines neuen Menschen zu entwerfen, ist das gemeinsame Merkmal der expressionistischen Dramatik. Döblin ordnet sich sehr wohl dieser Thematik zu, und seine Lösungsmöglichkeiten berühren sich oft mit denen des expressionistischen Verkündigungsdramas.[4] Wir müssen uns jedoch hier versagen, näher auf diese Parallelen einzugehen.

Döblin steht in einer Situation des Umbruchs. Er negiert die zentrale Stellung des Menschen, den Persönlichkeitskult Goethes und – in höchster Ausprägung – Nietzsches, versucht aber trotzdem, der menschlichen Existenz ihren Sinn zu bewahren, indem er das menschliche Individuum – trotz seiner Kleinheit und Nichtigkeit – zum notwendigen Instrument des Weltvollzugs macht. Die Aktivität des Menschen, von Döblin mit unverhohlenem Mißtrauen betrachtet, ist nötig, weil sich nur durch sie die Welt fortbewegt. Aber er läßt keinen Zweifel daran aufkommen, daß der Mensch

---

[4] Vgl. dazu neben dem eben genannten Buch von Sokel die Dissertation von Walter E. Riedel, *Studien zum neuen Menschen im Drama des zwanzigsten Jahrhunderts* (McGill University Montreal, 1966).

nur durch den Zusammenhang mit dem natürlichen, ewigen Seinsgrund existiert, aus dem er auftaucht und zu dem er zurückstrebt:

> Ich wachse, auch als Mensch, auch mit dem Geist, mit meinem Willen, nicht anders wie ein Baum. Ich möchte mit Äpfeln vollhängen. Vögel sollen auf mir nisten. Im Winter will ich im Schnee stehen, die Engerlinge zwischen meinen Wurzeln.[5]

---

[5] *Alfred Döblin. Im Buch. Zu Haus. Auf der Straße. S. 109.*

IV. AUSWAHLBIBLIOGRAPHIE

A. Ausgaben

Eine Gesamtausgabe der Werke Alfred Döblins gibt es noch nicht. Seit 1960 hat der 1965 verstorbene Baseler Germanist Walter Muschg zahlreiche Werke neu ediert: *Ausgewählte Werke in Einzelbänden.* In Verbindung mit den Söhnen des Dichters herausgegeben von Walter Muschg (Olten/Freiburg i. Br. 1960 ff.). Fortgesetzt wird diese Edition von dem Muschg-Schüler Heinz Graber.

Diese *Ausgewählten Werke* enthalten bisher:

1. *Pardon wird nicht gegeben* (1960/²1962)
2. *Die drei Sprünge des Wang-lun* (1960)
   (zit. *Wang-lun*)
3. *Berlin Alexanderplatz. Die Geschichte vom Franz Biberkopf* (1961, ²1964)
   (zit. *Berlin Alexanderplatz*)
4. *Manas. Epische Dichtung* (1961)
   (zit. *Manas*)
5. *Babylonische Wandrung oder Hochmut kommt vor dem Fall* (1962)
   (zit. *Babylonische Wandrung*)
6. *Die Ermordung einer Butterblume. Ausgewählte Erzählungen 1910 bis 1950* (1962)
7. *Amazonas* (1963)
8. *Aufsätze zur Literatur* (1963)
9. *Unser Dasein* (1964)
10. *Wallenstein* (1965)
11. *Hamlet oder die lange Nacht nimmt ein Ende* (1966)
    (zit. *Hamlet*)
12. *Reise in Polen* (1968)
13. *Die Zeitlupe. Kleine Prosa.* Aus dem Nachlaß zusammengestellt von Walter Muschg (1962) (= Walter Paperbacks „Die Diskussion")

Die eingeklammerten Zahlen im Text der vorliegenden Arbeit beziehen sich auf diese *Ausgewählten Werke* und auf die folgenden Ausgaben, da diese Texte bisher nicht in die *Ausgewählten Werke* übernommen wurden:

Wadzeks Kampf mit der Dampfturbine (Berlin, 1918)
(zit. *Wadzek*)

Der schwarze Vorhang. Roman von den Worten und Zufällen
(Berlin, 1919)
(zit. *Der schwarze Vorhang*)
Der deutsche Maskenball. Zeitglossen. Veröffentlicht unter dem Pseudonym „Linke Poot" (Berlin, 1921)
Berge Meere und Giganten (Berlin, 1924)
Das Ich über der Natur (Berlin, 1927)
Alfred Döblin. Im Buch. Zu Haus. Auf der Straße. Vorgestellt von Alfred Döblin und Oskar Loerke (Berlin, 1928).
Wissen und Verändern! Offene Briefe an einen jungen Menschen (Berlin, 1931)
(zit. *Wissen und Verändern!*)
Giganten. Abenteuerbuch (Berlin, 1932)
(zit. *Giganten*)
Der neue Urwald (Bd. III der Südamerika-Trilogie) (Baden-Baden, 1948)
November 1918. Eine deutsche Revolution. Erzählwerk Bd. I. Verratenes Volk (München, 1948)
(zit. *November 1918, I*)
November 1918. Bd. II. Heimkehr der Fronttruppen (München, 1949)
(zit. *November 1918, II*)
November 1918. Bd. III. Karl und Rosa (München, 1950)
(zit. *November 1918, III*)
Schicksalsreise. Bericht und Bekenntnis (Frankfurt/M., 1949)
(zit. *Schicksalsreise*)

B. Bibliographien

KARIN HAMELAU, „Auswahlbibliographie zu Alfred Döblin", In: *Text und Kritik*, 13/14 (Juni 1966), S. 69–75.
G. KÜNTZEL, „Schriftenverzeichnis", In: Akademie der Wissenschaften und der Literatur Mainz. *Jahrbuch 1957*.
WOLFGANG PEITZ, *Alfred Döblin. Bibliographie* (Freiburg i. Br., 1968)
(=Materialien zur deutschen Literatur Bd. I)
Eine ziemlich umfassende Bibliographie enthält auch die Dissertation von Hansjörg Elshorst, *Mensch und Umwelt im Werk Alfred Döblins* (München, 1966).

C. Bücher und Dissertationen

HELMUT BECKER, *Untersuchungen zum epischen Werk Alfred Döblins am Beispiel seines Romans „Berlin Alexanderplatz"*, Diss. (Marburg, 1962).

Kasimir Edschmid, *Die doppelköpfige Nymphe. Aufsätze über die Literatur und die Gegenwart* (Berlin, 1920).

—,— *Lebendiger Expressionismus* (München, Wien, Basel, 1961).

—,— *Frühe Manifeste, Epochen des Expressionismus* (Darmstadt, Neuwied, Berlin-Spandau, 1960). (= Mainzer Reihe 9)

Hansjörg Elshorst, *Mensch und Umwelt im Werk Alfred Döblins*, Diss. (München, 1966).

Expressionismus 1910–1923. Ausstellung des Deutschen Literaturarchivs im Schiller-Nationalmuseum Marbach a. N. (vom 8. Mai bis 31. Oktober 1960). (= Sonderausstellungen des Schiller-Nationalmuseums Katalog Nr. 7)

Der späte Expressionismus 1918–1922. Bücher – Bilder – Zeitschriften – Dokumente. (Eine Ausstellung der Veranstaltungsreihe „Wege und Gestalten", zusammengestellt von Paul Raabe.) (Biberach/Riß, 1966)

Expressionismus. Aufzeichnungen und Erinnerungen der Zeitgenossen, ed. Paul Raabe (Olten/Freiburg i. Br., 1965).

Expressionismus. Der Kampf um eine literarische Bewegung, ed. Paul Raabe (München, 1965). (= sonderreihe dtv 41)

Exil-Literatur 1933–1945. Ausstellung der Deutschen Bibliothek, Frankfurt/M. (Mai–August 1963). Ausstellungskatalog, ed. Kurt Köster. (= Sonderveröffentlichungen der Deutschen Bibliothek Nr. 1)

Winifred Jeanette Ferris, *Alfred Döblin's Concept of Man*, unveröff. Diss. (Stanford University, 1952).

Eugene P. Finnegan, *Biblical Themes in the Novels of Alfred Döblin*, Diss. (Northwestern University, 1968). (Diss. Abstr. XXVIII, 4171 A–72 A.)

Heinz Graber, *Alfred Döblins Epos „Manas"*, Diss. (Bern, 1967). (=Basler Studien zur deutschen Sprache und Literatur, Heft 34)

Ann Jennings, *Alfred Döblin's Quest for Spiritual Orientation*. Diss. (University of Illinois, Urbana, 1959). (Diss. Abstr. XX, 1788)

Robert Bruce Kimber, *Alfred Döblin's Godless Mysticism*. Diss. (Princeton University, 1965). (Diss. Abstr. XXVI, 3955–3956)

Roland Links, *Alfred Döblin* (Berlin-Ost, 1965). (= Schriftsteller der Gegenwart 16)

Paul E. H. Lüth, ed., *Alfred Döblin zum 70. Geburtstag* (Wiesbaden, 1948).

Paul Pörtner, *Literatur-Revolution 1910–1925*, 2 Bde. (Berlin, Darmstadt, Neuwied, Bd. I, 1960, Bd. II, 1961).

Henry Regensteiner, *Die Bedeutung der Romane Alfred Döblins von „Die drei Sprünge des Wang-lun" bis „Berlin Alexanderplatz"*, Diss. (New York University, 1954). (Diss. Abstr. XIV, 2351)

WALTER E. RIEDEL, *Studien zum neuen Menschen im Drama des zwanzigsten Jahrhunderts*, Diss. (McGill University Montreal, 1966).

RICHARD SAMUEL and R. HINTON THOMAS, *Expressionism in German Life, Literature and the Theatre (1910–1924)* (Cambridge, 1939).

LOTHAR SCHREYER, *Erinnerungen an Sturm und Bauhaus* (München, 1956).

HELMUT SCHWIMMER, *Erlebnis und Gestaltung der Wirklichkeit bei Alfred Döblin*, Diss. (München, 1960).

WALTER H. SOKEL, *Der literarische Expressionismus* (München, o. J.).

Verbannung. Aufzeichnungen deutscher Schriftsteller im Exil, ed. Egon Schwarz und Mathias Wegner (Hamburg, 1964).

NELL WALDEN und LOTHAR SCHREYER, *Der Sturm. Ein Erinnerungsbuch an Herwarth Walden und die Künstler aus dem Sturmkreis* (Baden-Baden, 1954).

D. Aufsätze in Büchern

GÜNTHER ANDERS, „Der verwüstete Mensch. Über Welt- und Sprachlosigkeit in Döblins ‚Berlin Alexanderplatz‘", In: *Festschrift für Georg Lukacs*, ed. F. Benseler (Neuwied, Berlin, 1965), S. 420–442.

ARMIN ARNOLD, „Der neue Mensch als Gigant: Döblins frühe Romane", In: Arnold, *Die Literatur des Expressionismus. Sprachliche und thematische Quellen* (Stuttgart, Berlin, Köln, Mainz, 1966), S. 80–107. (= Kohlhammer, Sprache und Literatur 35).

WILHELM DUWE, „Alfred Döblin. Berlin Alexanderplatz", In: Duwe, *Ausdrucksformen deutscher Dichtung. Vom Marxismus bis zur Gegenwart. Eine Stilgeschichte der Moderne* (Berlin, 1965), S. 102–113.

—,— „Alfred Döblin. Hamlet oder die lange Nacht nimmt ein Ende", ebd. S. 113–120.

OSKAR LOERKE, „Das bisherige Werk Alfred Döblins", In: *Alfred Döblin. Im Buch. Zu Haus. Auf der Straße*. Vorgestellt von Alfred Döblin und Oskar Loerke (Berlin, 1928), S. 116–175.

FRITZ MARTINI, „Alfred Döblin", In: *Deutsche Dichter der Moderne*, ed. Benno von Wiese (Berlin, 1965), S. 321–360.

—,— „Alfred Döblin. Berlin Alexanderplatz", In: Martini, *Das Wagnis der Sprache* (Stuttgart, ²1956), S. 336–372.

ROBERT MINDER, „Alfred Döblin zwischen Osten und Westen", In: Minder, *Dichter in der Gesellschaft* (Frankfurt/M., 1966), S. 155–190.

—,— „Alfred Döblin", In: *Deutsche Literatur im XX. Jahrhundert*, ed. Hermann Friedmann und Otto Mann, Bd. II: Gestalten (Heidelberg, ⁴1961), S. 140–160.

WALTER MUSCHG, „Zwei Romane Alfred Döblins", In: Muschg, *Von Trakl zu Brecht* (München, 1963), S. 198–243.

—,— „Ein Flüchtling. Alfred Döblins Bekehrung", In: Muschg, *Die Zer-störung der deutschen Literatur* (München, o. J.), S. 87–111; (= List Bücher 156).

ANTHONY W. RILEY, "The Professing Christian and the Ironic Humanist: A Comment on the Relationship of Alfred Döblin and Thomas Mann after 1933", In: *Essays on German Literature in Honour of G. Joyce Hallamore*, eds. Michael S. Batts and Marketa S. Stankiewicz (Toronto, 1968), S. 177–194.

ALBRECHT SCHÖNE, „Döblin. Berlin Alexanderplatz", In: *Der deutsche Roman*, Bd. II, ed. Benno von Wiese (Düsseldorf, 1963), S. 291—325.

E. Aufsätze in Zeitschriften

DIETER BAACKE, „Erzähltes Engagement. Antike Mythologie in Döblins Romanen", In: *Text und Kritik* 13/14 (Juni 1966), S. 22–31.

GÜNTER GRASS, „Über meinen Lehrer Döblin", In: *Akzente* IV (1967), S. 290–309.

LEO KREUTZER, „Abläufe oder Geschichten. Über das Romanwerk Alfred Döblins", In: *Akzente* IV (1967), S. 310–325.

JOSEPH STRELKA, „Der Erzähler Alfred Döblin", In: *German Quarterly* XXXIII, 3 (May 1960), S. 197–210.

HANS-ALBERT WALTER, „Alfred Döblin – Wege und Irrwege", In: *Frank-furter Hefte* XIX, 12 (Dezember 1964), S. 866–878.

PERSONENREGISTER

SACHREGISTER

AUS UNSEREM VERLAGSPROGRAMM

HANS-DIETER BALSER
Das Problem des Nihilismus im Werke Gottfried Benns
2 verb. und erw. Auflage 1970, X, 253 S., kart. DM 33,— ISBN 3 416 00304 7
Abhandlungen zur Kunst-, Musik- und Literaturwissenschaft, Band 29

TIMM COLLMANN
Zeit und Geschichte in Hermann Brochs Roman „Der Tod des Vergil"
1967, 180 S., kart. DM 19,50 ISBN 3 416 00418 3
Abhandlungen zur Kunst-, Musik- und Literaturwissenschaft, Band 44

HANS JOACHIM MAITRE
Thomas Mann — Aspekte der Kulturkritik in seiner Essayistik
1970, VI, 150 S., kart. DM 19,50 ISBN 3 416 00698 4
Studien zur Germanistik, Anglistik und Komparatistik, Band 3

VIVIEN PERKINS
Yvan Goll — An Iconographical Study of his Poetry
1970, VI, 198 S., kart. DM 28,— ISBN 3 416 00674 7
Studien zur Germanistik, Anglistik und Komparatistik, Band 5

WALTER RIEDEL
Der neue Mensch — Mythos und Wirklichkeit
1970, 128 S., kart. DM 16,80 ISBN 3 416 00682 8
Studien zur Germanistik, Anglistik und Komparatistik, Band 6

RODNEY T. K. SYMINGTON
Brecht und Shakespeare
1970, ca. 208 S., ca. DM 26,50 ISBN 3 416 00691 7
Studien zur Germanistik, Anglistik und Komparatistik, Band 2

MONIQUE WEYEMBERGH-BOUSSART
Alfred Döblin — Seine Religiosität in Persönlichkeit und Werk
1970, XIV, 426 S., kart. DM 56,— ISBN 3 416 00513 5
Abhandlungen zur Kunst-, Musik- und Literaturwissenschaft, Band 76

H. B O U V I E R u. C O. V E R L A G · B O N N